令和トランスフォーメーション

―コミュニティー型社会への転換が始まる―

アーサー・ディ・リトル・ジャパン
鈴木 裕人
三ツ谷 翔太 共著

日経BP

目次

プロローグ 9

第1章 令和トランスフォーメーションとは 17

2040年の日本の姿……18

■コロナショックで加速する「コミュニティー型社会」の勃興……20

◆①マクロな経済成長ドライバーの変化：「グローバル」から「グリーン」へ……21

◆②働き方の変化：「リアル」から「バーチャル」へ……26

◆③都市構造の変化：「過度な集中」から「適度な分散」へ……29

◆④社会インフラの担い手の変化：「政府」から「民間」へ……31

■2040年の日本の目指すべき姿とは……33

◆SX（ソーシャル・トランスフォーメーション）：

行政・企業・個人の協働による新たなローカルコミュニティーの形成……36

◆ＩＸ（インダストリアル・トランスフォーメーション）：
グローバルからローカルソリューションへの産業重心シフト……38
◆ＣＸ（コーポレート・トランスフォーメーション）：
グローバル＋ローカルソリューションのバランス型事業ポートフォリオの構築……40

第2章　SX：行政・企業・個人の協働による新たなローカルコミュニティーの形成……43

2040年の日本の「社会」の姿……44

■ポストコロナ時代の新たな社会システム……46
◆社会システムが問われていること……46
◆ポストグローバル資本主義の流れの中でのコミュニティー……50
◆新たなコミュニティー形成に向けた実現技術……52
◆ユーザー視点からのコミュニティー価値の最大化……57
◆今こそが変革の時……60

■次世代コミュニティーの形成に向けた必要アクション……64

◆新たなローカルコミュニティーの3つの形成パターン……64
◆①行政主導型：コンパクトシティー構想など行政旗振りでの社会資本投資……65
官民のデータ連携の必要性……66
お金の流れを再設計する……69
◆②個人主導型：地方・郊外への人口移動を契機としたコミュニティー形成……72
集まってきた人材を生かす……74
住民の参画を促す仕組みを整備へ……75
◆③企業主導型：グローバル企業の街づくり参入などを通じた社会資本投資……78
企業が街づくりへと向かう理由……78
企業主導における落とし穴とは……82
データと地域文化づくりが重要……85
◆企業からの社会資本投資が大きな変革ドライバーに……86
■新たなローカルコミュニティーがつくる未来の日本……89
◆基礎自治体の単位から街の単位へ……89
◆行政によるサービスから企業によるサービスへ……92

第3章　IX：グローバルからローカルソリューションへの産業重心シフト……95

2040年の日本の「産業」の姿……96

■転機を迎えたグローバル産業の生き残る道……98

◆グローバル資本主義の恩恵を受けてきた日本のモノづくり企業が岐路に……99

◆国別シェアから見る日本の産業構造上の特徴……105

◆米国はITと航空機が2大基幹産業に……110

◆自動車と医薬品が2大産業の欧州……112

◆中国・韓国・台湾の産業構造……114

■グローバル産業における日本の4つの勝ちパターン……119

◆①グローバルニッチトップ産業財……121

◆②カスタムソリューション型システムインテグレーション……126

◆③日常型プレミアム消費財……131

◆④ニッチ特化プラットフォーム……138

◆勝ち残りのカギは「フラグメント化領域をあえて狙う」こと……145

■新たな成長ドライバーとしてのローカルソリューション産業……147
◆コミュニティー形成のための社会資本整備が新たな活路に……148
◆ローカルソリューション産業の担い手は誰か……152
◆①コミュニティー形成の実績を持つ「鉄道会社」の可能性……154
◆②電力・石油・ガスの既存「エネルギー事業者」も有力……157
◆③投資余力が大きな「通信事業者」は主役となる有望株……160
◆④それぞれに強みを持つ「不動産・総合商社・小売・物流」……162
◆⑤資金とノウハウを持ち込む「グローバルメーカー」（自動車・電機など）……165
◆本命は誰か……167
◆地域ごとにフラグメント化するローカルソリューション産業の構造……170

第4章　CX：グローバル＋ローカルソリューションのバランス型事業ポートフォリオの構築

第4章　CX：グローバル＋ローカルソリューションのバランス型事業ポートフォリオの構築……175

2040年の日本の「企業」の姿……176

■コロナショックが浮き彫りにしたポートフォリオマネジメントの重要性……178

■グローバル＋ローカルソリューションのバランス型事業ポートフォリオとは……181

◆まさに「両利き」の経営が求められている……184

◆①グローバル事業・ローカルソリューション事業併存型……186

クボタ：グローバルな機械事業とローカルな水環境事業の2本柱……187

神戸製鋼所：本業深耕に加え電力など社会インフラ事業へ……189

AGC／積水化学／旭化成：建材・住宅事業を持つ素材メーカー……190

◆②グローバル事業→ローカルソリューション事業移行型……193

トヨタ自動車：グループ挙げてローカルソリューション事業へ……193

IHI：航空エンジン一強から社会インフラ事業再強化へ……196

パナソニック／ソニーグループ：ローカルソリューション分野で存在感……197

日立製作所／総合商社：ローカルソリューション事業のグローバル展開……199

◆③グローバル事業再挑戦型……201
NTTグループ／NEC：GAFAへの対抗軸形成へ……201

第5章　SX／IX／CXで日本の存在感を世界に示す 205

■国家間におけるガバナンス構造の優位性競争……207
◆感染拡大阻止を巡っても対立を深めた米中……207
◆独自の立場を貫く欧州、「リープフロッグ」を進める新興国……208
◆「グレート・リセット」の行方……210
■日本発のグローバル・トランスフォーメーションへ……213
◆世界的な世代交代による価値観変化が最大のドライバー……213
◆政府投資とESG投資という2つの「金流」が動く……214
◆もともと日本に根付いていた三位一体の概念……216

エピローグ　あとがきにかえて 219

プロローグ

本書では、グローバル資本主義が限界を迎える中、次のパラダイムとしての「コミュニティー型社会」の形成を軸に、社会・産業・企業の三位一体での変革を進めることこそが、令和の時代における日本にとってのトランスフォーメーションとなるとの強い思いから、僭越《せんえつ》ながら少々大袈裟なタイトルをつけさせていただいた。今の経営者層の年代の方々には、30年以上前に大前研一氏が書かれた『平成維新』（講談社）を記憶されておられる方も多いであろう。私自身、今の経営コンサルティングという職業に最初に興味を持つきっかけとなったのが、父の書斎にあった『平成維新』であった。タイトルは、同書にインスパイアされたものでもある。

結局平成の30年間においては、良くも悪くもグローバル資本主義にほだされる形で昭和の社会・産業構造を引きずったまま成長を続けてきたのが日本社会であり日本企業であったが、その前提となってきたグローバル資本主義に限界が見え、今や「グレート・リセット」が叫ばれる時を迎えた。そして、次のパラダイムでは「コミュニティー資本主義」とでもいうべき動きが広がる。令和の時代においては、小規模なローカルコミュニティーをベースにした社会システムへの転換が必要になる。「官民の枠を超えてのコミュニティー形成」に向けた社会・産業・企業一体での「令和トランスフォーメーション」こそが求められる——というのが本書の主張だ。

では、こうした次世代のコミュニティー型社会とはどのようなものか。その一例として分かりやすいのが、トヨタ自動車が２０２０年に米国のデジタル見本市「ＣＥＳ」で発表したスマートシティー構想「ｗｏｖｅｎ ｃｉｔｙ（ウーブン・シティ）」だ。具体的には、静岡県裾野市におけるトヨタ自動車東日本東富士工場の跡地を開発地域とする都市計画で、将来的には２０００人以上の住民が暮らすコミュニティーの形成を目指している。これの意味するところは、日本を代表するグローバル企業であるトヨタが、自動車という製品を提供することを超えて、人々の生活全般を通じた価値提供を目指すために自らの資金を投じ都市開発に参入するということだ。トヨタがモビリティーを軸とした社会インフラ企業に変わっていくことの宣言ともなる。

これにより、グローバル事業で生み出した大きな投資余力を持ち、もともと産業報国的な社会性を持った思想からスタートした日本の大手技術系企業が、新たなコミュニティー形成を通じ、日本の社会インフラのアップデートの一翼を担うことになる。折しも、日本では高度経済成長期に建設された道路や上下水道など各種社会インフラが更新期を迎えている。しかし、人口減少などの影響で再構築の投資余力を持つ地方自治体は少ないというのが実情なのである。こうした中での有力企業が主導して街づくりに動き出せば、新たなコミュニティー形成を基軸に、日本において社会インフラと産業構造の転換を一気に進めることも考えやすくなる。

また今回のコロナショックによって、次世代のコミュニティー型社会の形成に、図らずもドライブがかかった。具体的には、コロナショックにより落ち込んだ経済の再生策として各国において、特に日本を含めた先進国や中国などで「カーボンニュートラル」（温暖化ガス排出量実質ゼロ）を目指した再生可能エネルギーやEV（電気自動車）普及などの「グリーンリカバリー政策」（環境に配慮した経済の回復政策）が強化されている。これは主要エネルギーとして、電力をベースにした社会インフラの再構築を進めるということを意味する。ただ、電力は「生もの」ともいわれ、送りにくく（送電ロス）、ためにくいという性質がある。再生可能エネルギーを導入するにしても、できるだけ地産地消型の小単位での導入検討が合理的なのである。こうしたことからも、再生可能エネルギー導入の検討単位として、より小規模な数千人規模のローカルコミュニティーから成る、コミュニティー型社会の形成が求められることになる。

今回のコロナショックでは、個々人の生活の仕方、さらに都市やコミュニティーの在り方にも大きな変化が生じた。緊急事態宣言下で、都市部のオフィスワーカーを中心にリモートワークが想定以上に普及。これまで東京など大都市部への集中が進んでいた人口分布に、郊外への定住者の増加などによる再分散の傾向が見えてきたのだ。人口減少が進む地方部などで社会インフラ更新が困難となる中で、コロナショックによりヒトとカネが再分散の方向に向かい始めたことは大きな意味を持つ。こうした動きが、次世代のローカルコミュニティー形成を支えることにもつながるからだ。

一方、次世代のコミュニティー型社会の形成は、その主役ともいえる役割を期待される企業にとっても大きなチャンスだ。主役として想定されるのは、トヨタ自動車などこれまでグローバル資本主義全盛期の中で日本経済を大黒柱としてけん引してきた自動車・エレクトロニクスメーカーや、近年事業と投資の両面から積極的に海外展開を進めている通信会社などのグローバル企業である。こうした企業は、その成長の前提となってきたグローバル資本主義そのものの限界が見えてきている中で、従来のようなグローバル事業一辺倒での成長は見通しづらくなっている。そこで各社とも「モノづくり」から「コトづくり」といった（極めて横並びな）スローガンを掲げ、デジタル技術を活用したソリューション事業などへの参入をトライしているのだが、そこでは既に米巨大IT企業GAFAのようなデジタルプラットフォーマーが存在感を放っている。このような中で、企業としての新たな成長・展開余地を見いだす1つの可能性空間となり得るのが、国内における新たなコミュニティーの形成を中心とした社会インフラ領域なのである。例えば、日本ではトヨタ自動車のほかにも、パナソニックやNTTグループ、ソフトバンクグループなどのグローバル企業がコミュニティー型社会の実現につながるスマートシティー事業などに既に参入している。

こうした中でコロナショックを機に、世界的な構造変化がさらに加速した。ポストコロナに向けて、各国は競ってグリーンリカバリーなどを中心とした自国内での経済政策を一層推進。これにより自国企業の競争力を高め、その事業継続や成長を支援しようという狙いだ。日本も手をこまぬいてはいられない。このような世界的な激動期の今こそ、日本にとっても大きな社会的イノベーション、令和トランスフォーメーションを推進するチャンスになる。以下本書では、日本における令和トランスフォーメーションを、「社会」としての目指すべき姿：SX（ソーシャル・トランスフォーメーション）、「産業」としての目指すべき姿：IX（インダストリアル・トランスフォーメーション）、「企業」としての目指すべき姿：CX（コーポレート・トランスフォーメーション）の3つの観点から説き起こしていく。

新型コロナウイルスの疫学的な収束にはまだしばらく時間がかかりそうな一方で、経済面から見たポストコロナへの動きは加速しつつある。コロナショックの収束で先行した中国やそれに前後する形で「グリーンリカバリー政策」を鮮明にしつつある欧州に加え、日米で相次いで誕生した菅・バイデン新政権は「カーボンニュートラル」や新たな社会インフラ整備に向けた新政策と公共投資を矢継ぎ早に打ち出した。こうした中で、民間側のESG（環境・社会・ガバナンス）投資の流れも相まって、SDGs（持続可能な開発目標）という旗頭の下での新しいコミュニティー型社会の具体化に向けた動きが、今後一気に本格化すると考えられる。

本書でのコミュニティー型社会形成の提言をベースに、社会・産業・企業にとっての新たなパラダイムシフトを日本発で具現化し、世界に展開・発信していくという作業を、ぜひ読者の皆様と共に取り組んでいきたいと考えている。日本の社会・産業・企業が今後どの方向に進むべきか、その道標を提示できれば幸いである。

第1章

令和トランスフォーメーションとは

2040年の日本の姿……

2040年、このところ日本では、大手自動車メーカーやエレクトロニクスメーカー、通信会社などが構築を主導した次世代コミュニティーごとに、カーボンニュートラル（温暖化ガス排出量実質ゼロ）の実現率やゴミ資源の完全リサイクル率などを指標として、循環型社会の実現を目指す動きが盛んだ。この実現度合いが、コミュニティーの住民にとっては税金やエネルギーコストなどの家計費の多寡に直結する。コミュニティーの開発・運用を主導している企業にとっては、自社の株価や関連する海外事業の業績にも大きく影響してくる。となれば、それぞれに力が入るのも無理はない。

コミュニティーの住民は皆、リモートワークが前提となったことでとうの昔に通勤地獄などからは解放され、時間的、精神的にも余裕があり、週に1日程度をコミュニティーのための活動に費やしている。また、地元コミュニティー主導企業はコミュニティー価値を高めることに貢献しつつ、そこで培ったグリーン関連技術を世界にも展開している。結果として2040年の日本では、フレキシブルでサステナブル、そして健康的な循環型社会として、世界的にも評価されるコミュニティー型社会への移行が進展している。

振り返ってみると、2020年代から歴代政権が打ち出した「デジタル」と「グリーン」（カーボンニュートラル）を2つのエンジンにした構造改革が、その後の20年にわたる日本全体の変革の起点となった。もう1つの大きな変化点は、同時にリモートワークなどの多様な働き方など広がり、それまで都心への一極集中が続いていた人口の流れが再び郊外に向かい始めたことだった。

変革の流れを加速させたのが、日本の代表的なグローバル企業である自動車メーカーやエレクトロニクスメーカーが通信会社などと連携しながら、郊外型のコミュニティー開発や、その中での地産地消型の再生可能エネルギー事業、交通・物流事業といった社会インフラ事業へと本格参入したことだ。これにより三大都市圏の郊外に、エネルギーや物質循環の地産地消をベースにした新たなコミュニティーが多数形成され、日本全体の都市構造が大きく変化した。これが「令和トランスフォーメーション」と言われた変革である。その過程では、多くの民間資金が社会資本整備に投入され、新たな内需型産業が創出された。こうした産業創出が、グローバル資本主義時代の外需依存の成長モデルからの転換を必要としていた大手のグローバル企業にとって、その事業ポートフォリオを大きく転換させる契機にもなった——。

こうした状況が、今から20年後、つまり２０４０年の日本の姿になっていると我々は考えている。なぜ、どのようにしてこうした状況になっていくのか。本章では、コミュニティー型社会の勃興を起点に、日本においてどのように社会と産業と企業の三位一体的な同時変革が進み得るのかを検証しながら、「令和トランスフォーメーション」の全容を概説してみたい。

◆コロナショックで加速する「コミュニティー型社会」の勃興

今回のコロナショックがきっかけとなり発生・加速している多くの変化がある。そこからまずは整理してみよう。変化の中には一時的な変化もあるが、一旦変わると元には戻らない不可逆的な変化も多い。コロナショックをきっかけに起こった変化の中で、そうした不可逆的な変化は何かという視点で考えてみると、次の４つの変化が挙げられるだろう（図1-1）。

①マクロな経済成長ドライバーの変化：「グローバル」から「グリーン」へ
②働き方の変化：「リアル」から「バーチャル」へ

③都市構造の変化：「過度な集中」から「適度な分散」へ

④社会インフラの担い手の変化：「政府」から「民間」へ

これら4つの変化は、互いに連関する部分があり、これら要素が絡み合って今後のコミュニティー型社会勃興の呼び水になる可能性がある。以下、それぞれの変化について見ていこう。

◆①マクロな経済成長ドライバーの変化：「グローバル」から「グリーン」へ

2008年9月の米リーマン・ブラザーズの破綻をきっかけに発生したリーマン・ショックと今回のコロナショックの違いについては、多くの考察がなされてきた。両者の違いとして、

図1-1　コロナショックによる4つの不可逆変化

経済成長ドライバーの変化	「グローバル」→「グリーン」
働き方の変化	「リアル」→「バーチャル」
都市構造の変化	「過度な集中」→「適度な分散」
社会インフラの変化	「政府」→「民間」

出典：ADL

リーマン・ショックは金融市場におけるバブル崩壊が起点だったという点で、経済の血流としての金融市場や、それによって富の蓄積を進めていた富裕層への影響が大きかった。一方、今回のコロナショックでは、ほとんどの国において感染拡大防止のためのロックダウンにより日々の経済活動が一時的にせよ完全停止したことで、労働者層などが大きな影響を受けた。具体的には、小売・飲食・観光・交通といった対面型のサービス業やサプライチェーンが寸断された製造業など幅広い産業、そしてそこで働く労働者層が直接的な収入減少や失業リスクに見舞われた。今回のコロナショックの方が、より大きなマクロ経済へのインパクトや、経済（貧富）の二極化の懸念が生じたという指摘が多くなされている。このような経済の二極化傾向がより先鋭化することにより、もともと提起されつつあったグローバル資本主義経済の正当性についての社会的疑義が、より深まる状況となっている。

リーマン・ショックとのもう1つの大きな違いは、地政学的な状況である。リーマン・ショックのタイミングは、グローバル資本主義経済の中で「ＢＲＩＣｓ」と呼ばれた中国・インドなどの大きな人口を持つ新興国がその成長フロンティアとして高い期待を集めていた時期で、実際にリーマン・ショック後の回復局面では、これら新興国経済の成長がその回復のけん引役を果たした。一方で今回のコロナショックは、数年前から新興国経済の成長が停滞期を迎える中で、さらには２０１６年の米国でのトランプ政権誕生をきっかけとした米中摩擦の激化などグローバル協調体制が制度疲労を迎えている中で起こった。

結果として、成長フロンティアの限界や経済のグローバル化によるサプライチェーンの脆弱性などの副作用が大きくクローズアップされた。コロナショックの収束局面においても、中国など一部の例外を除けば、先進国か新興国かを問わず、感染防止対策と経済回復の両立に苦戦している国が多い。

日本では、リーマン・ショック後の過度な新興国市場での事業拡大が収益拡大につながらず事業基盤を弱める結果ともなった日産自動車に象徴されるように、コロナショック以前から、過度に新興国に依存した事業成長は持続可能ではないとの見方が広がりつつあった。そうしたことが今回のコロナショックからの回復局面でも、図らずも証明されることになった。具体的には、東南アジア市場への依存度が高かった三菱自動車が深刻な影響を受けるなど、新興国の経済成長への過度な依存が経営リスクとなりかねないことが確定的になった面がある。

以上の動きは、過去20年ほどの間、グローバル資本主義経済の成長ドライバーとなってきた地理的なフロンティアの拡張、すなわち個別企業から見れば新興国を含めた海外展開の加速が、今後は経済・事業成長のドライバーとして機能しづらい局面に入りつつあることを示している。

一方で新興国経済に代わる金融緩和マネーの向かう先として、米ＩＴ大手ＧＡＦＡなどのデジタルプラットフォーマーと並んで注目を集めているのが、各国の温暖化ガス排出の実質ゼロを目指す「カーボンニュートラル」政策の恩恵を受ける、「グリーン」関連産業やそこで先行している各産業の先進企業である。その象徴的な出来事が、コロナショック局面で見せた、米テスラの株価急騰であろう。イーロン・マスク氏率いる、自動車業界の異端児とみられてきたテスラであるが、初の廉価版EV（電気自動車）である「モデル3」や中国展開などの商業的成功とタイミングが重なったこともあり、ついに時価総額で米ゼネラル・モーターズ（GM）やトヨタ自動車など既存の大手自動車メーカーを追い越し、自動車業界における企業価値では業界トップの地位に躍り出た。

資本市場側の視点から見ると、この背景には大きな2つの資金の流れが存在する。1つ目は、欧州を中心とした各国政府によるグリーン産業への集中的な投資である。特にEUに関しては、今回のコロナショックからの経済回復を目指し、2019年12月に発表していた温暖化ガス実質ゼロに向けた行動計画「欧州グリーンディール」をベースに、EVや水素を含めた再生可能エネルギーなどを次世代産業に育成することで雇用やGDP（国内総生産）の拡大を狙う「グリーンリカバリー政策」が注目されている。

2つ目は、民間の機関投資家を中心としたESG（環境・社会・ガバナンス）投資の加速である。日本では、石炭火力発電への反対など一面的にクローズアップされているきらいはあるが、特に再生可能エネルギーの利用を民間企業が中心となって推進する国際的な「RE100」コンソーシアムの形成など、企業においては単なる資本市場へのポーズから、PL（損益計算書）へのインパクトがある具体的なアクションまで踏み込んでリスクを取る動きが広がりつつある。そうした中で、創業当初からゼロエミッション社会への移行を企業理念として掲げるテスラが、その象徴として評価されるのも必然であろう。

このようなグリーン領域への投資を経済回復への起爆剤として使うという発想は、リーマン・ショック時点でも世界各国で見られてはいた。しかし今回は、新興国展開という代替オプションがなくなってきたことに加え、欧州などが経済対策のメニューの中で、グリーンリカバリーを一丁目一番地に据えたという点で、事情が大きく異なる。今回は中長期的なトレンドとなる可能性が高いのだ。

このようにグリーンシフトにおいて見逃せない影響は、各国のグリーン政策が単なる環境政策ではなく、自国の製造業やエネルギー産業を中心とした産業復興政策としての性質を持っているという点である。例えば、グリーン政策の一環として欧州や中国が加速させている内燃機関車から電動車（＝EV）へのシフトについていえば、EVの付加価値の大きな部分を占める車載電池を、いかに域内で内製化するかが産業構造の面では重要となる。この点をにらみ、中国はいち早く比亜迪（BYD）や寧徳時代新能源科技（CATL）といった国産車載電池メーカーの育成を進めてきたし、逆にこの動きが遅れていた欧州は得意のルールメイキング（ある種の参入規制）や政策資金投入をフル活用しながら、ユーザーとなる主要自動車メーカーと共に、急ピッチで欧州系の電池スタートアップ企業の育成や、海外電池メーカーの欧州域内への生産拠点誘致を進めている。

さらに、電力をベースにしたエネルギー調達の面から見ても、再生可能エネルギーはその技術的性質を踏まえると、グローバルなサプライチェーン形成が大前提だった石油・天然ガスなどの化石燃料とは異なり、最終的にはより地産地消型のサプライチェーンとなっていく。各国のエネルギー安全保障上からも、自給自足に近い形になっていく必然性が高い。結果として、グリーン政策はエネルギーの面から見ると、各国での自給自足的な経済・社会構造の再構築につながっていくことになる。米中対立などからもともと進みつつあったブロック経済化が、一段と進む可能性が高いのだ。

◆②働き方の変化：「リアル」から「バーチャル」へ

マクロな経済成長ドライバーがグローバルからグリーンへと移行することと同時に、ポストコロナ時代の大きな変化点になりつつあると思われるのが、働き方の変化だろう。個人としての生活環境やその前提としての生活インフラの変化とも言い換えることができるかもしれない。

日本において直接のきっかけになったのは、新型コロナウイルス感染症拡大による2020年4~5月の最初の非常事態宣言であり、そこで在宅勤務が余儀なくされたことだろう。これにより、それまでは当然視されてきた毎日の会社への出社や国内外の出張に伴う、移動のための時間が突然無くなった。非常事態宣言解除後は、各職場とも徐々に出勤規制を緩和したが、都心にオフィスを構える非対面型のサービス業企業などではリモートワークが定着したケースも多い。実際に東京・汐留にオフィスを構える弊社でも、従来であれば、オフィスへの通勤時間の短縮や出張時のアクセスを考慮してできるだけ都心部に住むことが不文律となっていたが、毎日の出社が不要という労働環境を前提に、郊外に引っ越す若手社員なども徐々に増えてきている。

このような働き方の変化を可能にしているのが、デジタル技術の活用である。オフィスへの出勤や国内外への出張ができない中で、リモートワークで業務を継続するために、「Ｔｅａｍｓ」や「Ｚｏｏｍ」などのＷｅｂベースでのバーチャル会議システムの導入・活用が一気に進んだ。これらＷｅｂ会議システムも、コロナショック以前から徐々に活用が始まりつつあったが、今や活用は当たり前。我々コンサルティング業界でも、以前は顧客企業まで足を運び実際にお会いして打ち合わせをするのが常識だったが、コロナショックでやむなくＷｅｂ会議システムを活用してみたところ、完全ではないものの想定以上に代用可能なことに気づいたという場面は多い。このようなことの結果として、出張費やそのための移動時間の大幅削減まで実現できたという企業やビジネスパーソンは少なくなかっただろう。

こうして「職場に行くことが働くこと」という固定観念が崩れ、デジタルインフラの活用により、新しい働き方が一般化することにつながった。これは、「リアル」前提から「バーチャル」前提へという働き方の変化ともいえるだろう。

ちなみに、このようなデジタル技術の活用度合いに関しては、世代間ギャップも大きい。これは、例えば若手社員の比率が大きいＩＴ系スタートアップ企業と、中高年層の比率が高くなっている大企業といった企業間の違いとしても現れるが、同じ企業内でも世代間によって働き方の変化の大きさが異なる。実際、緊急事態宣言下で出社していたのは役員クラスのマネジメント層ばかり、という企業も少なからず存在していた。

こうした世代間ギャップは、担っている業務や役責の違いによる部分も当然大きいが、実際にはＩＴリテラシー（単純なＩＴツールへの習熟度ということ以上に、これまでの仕事の仕方を変えることに対する心理的抵抗感も含めて）の違いや、そもそもの働くことに対する価値観の違いといった部分の方が大きいのではないかと思われる。例えば子育て世代から見ると、同時期に保育園や小中学校なども休園・休校となる中で、リモートワーク中に必然的に家族と過ごす時間が増えたという家庭も多いだろう。私自身の実感としても、これまで毎週のように国内外を出張で飛び回っていたものが、Ｗｅｂ会議での打ち合わせが増えて平日でも家族と過ごす時間が増えた。

そうした中で、改めて仕事中心で回っていた自分自身の生活スタイルを見直すきっかけになったのは間違いない。短期的要因としての今回のコロナショックと中期的に進む世代交代の両面から、こうした働き方や生活スタイルの変化が進み、より大きな社会変革につながる可能性があるわけだ。

◆③都市構造の変化：「過度な集中」から「適度な分散」へ

前述のような大都市部に勤務するホワイトカラー層などの生活スタイルの変化の帰結として考えられるのが、都市構造の変化である。これまで数十年にわたって続いてきた人口の都心部回帰の流れが変わる可能性が出てきている。実際に、東京都の人口は、２０２０年5月をピークに減少傾向に転じた（**図1-2**）。代わりに増えたのは、都心から50～１００km圏内の千葉・埼玉・神奈川の各県や、長野県の軽井沢、静岡県の熱海・三島、栃木県の宇都宮・那須高原などのエリアだ。こうした、東京の都心部から在来線や新幹線で1時間圏内にある郊外都市や保養地周辺などでは、近年リモートワークを前提とした移住者が増加傾向ではあったのだが、コロナショックによりこの流れが一層加速しつつある。

このような都心への過度な人口集中から郊外・地方への適度な分散への移行については、国としてもこれまで地方創生やふるさと納税制度、また国土開発計画としての「コンパクト・プラス・ネットワーク」構想などの一連の施策により、その実現を目指してきた。ただ、実際のところは都心部への人口集中の流れを変えるには至らず、十分な実効的成果を上げてきたとは言いづらい状況だった。しかし、こうした状況がコロナショックで変化したのである。個人ベースでのライフスタイル変化を伴う人口移動の傾向が既にあり、こうした動向は今後のポストコロナをにらんだ都市インフラの再整備を軸とした経済対策にも大きな影響を与えることになりそうだ。

折しも、トヨタ自動車やNTTグルー

図1-2　東京都の推移総人口（推計）の月別推移（平成30年～令和2年）

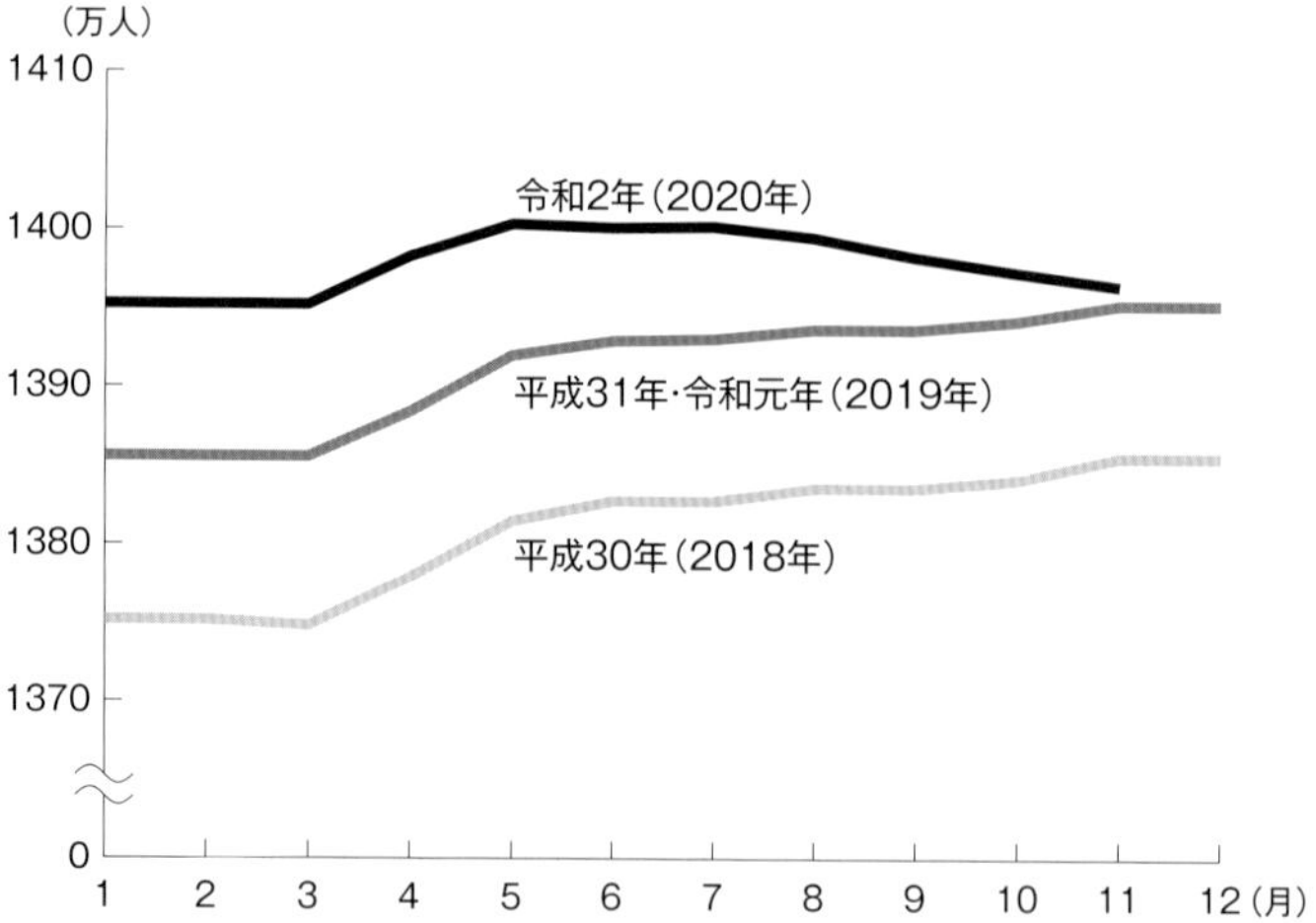

出典：東京都

プ、ソフトバンクグループなど日本を代表する異業種の大企業が街づくり領域への参入やスマートシティーの開発を次々と発表している。特にトヨタ自動車は、2020年の米国のデジタル見本市「CES」で、東海道新幹線の三島駅から車で30分程度の郊外にあるトヨタ自動車東日本の工場跡地に「woven city（ウーブン・シティ）」と呼ぶスマートシティーを開発することを発表し、世界を驚かせた。

これまで見てきたように、国主導での政策展開、民間の大手企業による次世代コミュニティー開発投資の拡大、そして個人のライフスタイル変化の3つが重なり合うことで、これまで大都市への集中一辺倒であったヒトとカネ（開発投資）の流れが、中長期的に大きく変化する可能性が出てきているのだ。

◆④社会インフラの担い手の変化：「政府」から「民間」へ

最後に、今回のコロナショックでもう1つ浮き彫りになったのが、現状の中央政府主導による国民国家としての限界かもしれない。これは1つには世界共通の課題として、ロックダウンや緊急事態宣言により大きなダメージを受けた対面型サービス業などの支援を含め、コロナショックによる経済危機を克服するために巨額の公的資金が投入されたことが端緒となる。日本で言えば1人当たり一律10万円の現金給付などが実施された。結果として、国家財政の悪化につながる可能性が高くなっており、特に財政基盤がぜい弱な新興国などでは、今回の負債増大が国家財政の信用力を低下させ、資本流出につながるリスクがある。もとより巨額の財政赤字を抱える日本にとっても、今回の経済対策の影響は決して小さくない。

また、今回のコロナショックへの対応を通じて日本では、首相官邸・霞が関を中心とした中央集権的な意思決定構造にも、限界が見えた面もあった。特に、現地産業への影響が大きい飲食などの各店舗の営業停止の判断などは全国一律に決めにくい面もあり、基本的には都道府県や市町村などの地域ごと、自治体単位で判断権限が委ねられていれば、より混乱は少なかっただろうとの指摘は少なくない。

一方、地方・郊外への人口分散をもたらすコンパクトシティー構想や民間企業のスマートシティー開発などで、もはや前提ともなりつつあるのが、各地域で管理組合などを設立する形での予算も意思決定権限も付与された自治機能の導入・強化である。こうしたより小規模なコミュニティーの構築においては、当然のことながら住民個々人の積極的な関与も期待され、前述のような個人の働き方や生活スタイルの変化がそれを可能にする面がある。

また企業の側でも、新しい都市インフラ構築の中でデジタルインフラを提供したり、コミュニティー開発や運営そのものを担ったりする新ビジネスや事業体が登場してくる。結果として、これら新たなコミュニティーの形成・運営は、民間主導の色彩が強まることになる。さらに、従来であれば国や地方自治体などが主導してきた社会インフラの開発・運営に、個人や民間企業が積極的に関わるようになることで、民間主導での社会インフラの整備・運営も進む。つまり、このような新たな小規模分散型のコミュニティーが経済主体となって、経済構造、社会構造の転換が進む可能性があるのである。

以上のようなコロナショックを機に加速した4つの変化は、まさに前著『フラグメント化する世界』（日経BP）の中で我々が提示したコミュニティー型社会の勃興につながるものといえる。そしてこうした4つの変化は、グローバル資本主義から、コミュニティー資本主義とでもいうべきポストグローバル資本主義の世界への移行を、一気に加速することにもなるのだ。

2040年の日本の目指すべき姿とは

ここまで、コロナショックで加速した不可逆的な変化を受けて、新たなコミュニティー型社会が勃興し、ポストグローバル資本主義への移行が進み得ることを見てきた。では、こうした時代に日本はどうすべきなのか。日本として目指すべき社会・産業・企業像を、より具体的に描出・提示することが本書の主眼である。そこで、次のような「令和トランスフォーメーション」を提言したい。これは、「社会」「産業」「企業」における3つのトランスフォーメーション（変革）からなるものである（**図1-3**）。

特に、国家と企業と個人の境界線が溶けつつあり、その関係性の再定義が必要となっている日本の現状においては、

- **「社会」としての目指すべき姿：ＳＸ（ソーシャル・トランスフォーメーション）**
- **「産業」としての目指すべき姿：ＩＸ（インダストリアル・トランスフォーメーション）**
- **「企業」としての目指すべき姿：ＣＸ（コーポレート・トランスフォーメーション）**

の3つを相互補完的に描き出すことが重要である。そして、これらを踏まえて、社会・産業・企業の3階層それぞれでの変革を、三位一体的に起こしていくことが必要になる。では、それぞれの目指すべき姿・変革の方向性とは具体的にどのようなものなのか。ポストグローバル資本主義に向けた動きやコロナショックによる不可逆的な変化の方向性を踏まえて考えると、以下のような目指すべき姿が提示できるだろう。

図1-3　令和トランスフォーメーションとは

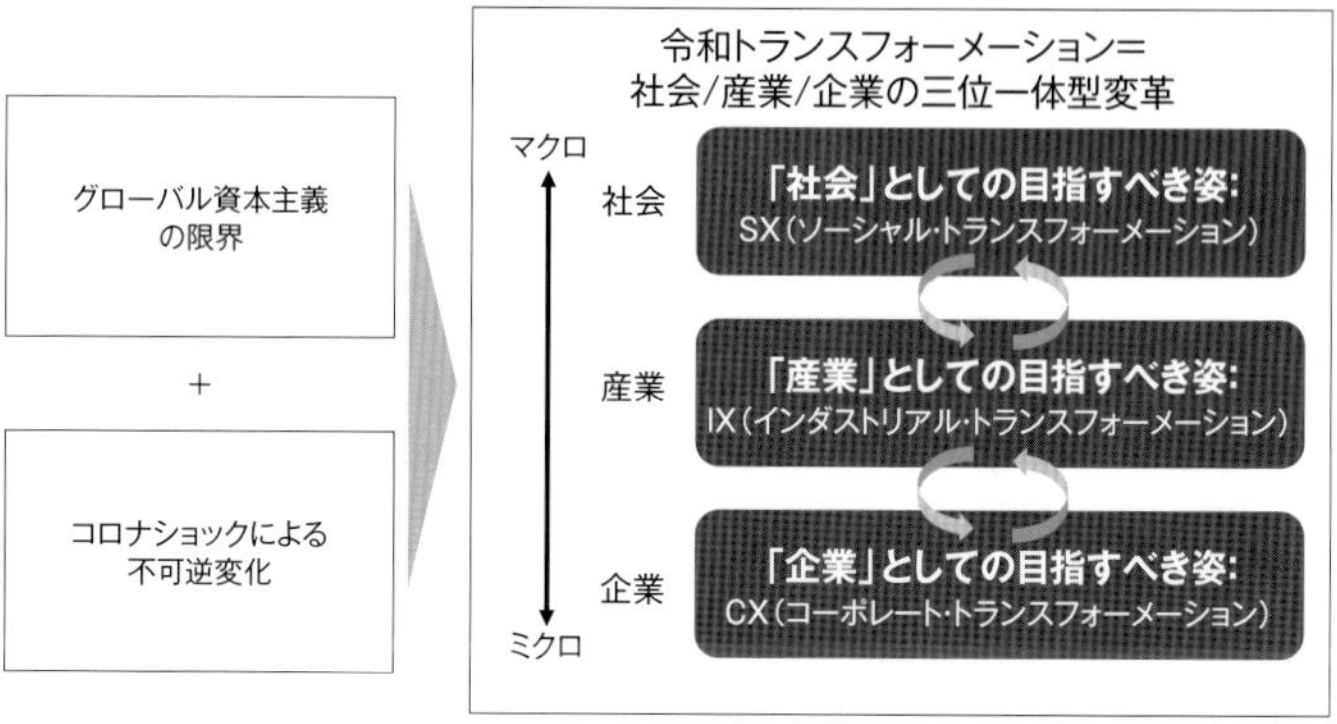

出典：ADL

図1-4　令和トランスフォーメーションのメカニズム

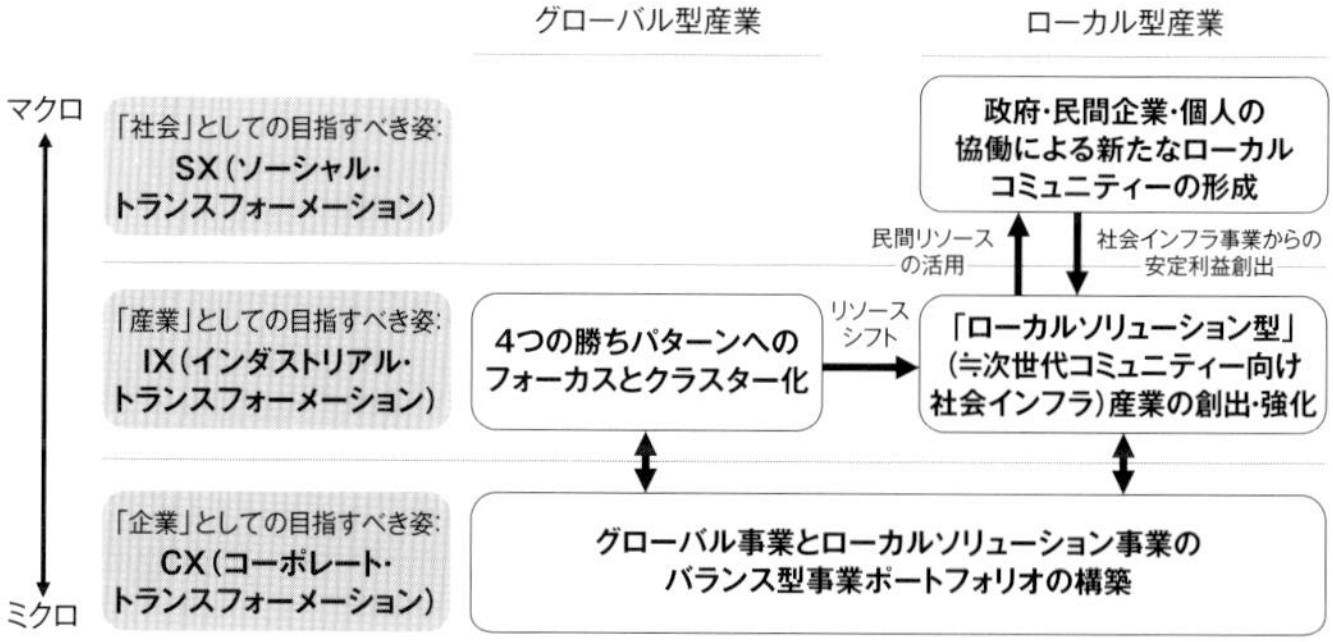

出典：ADL

・SX（ソーシャル・トランスフォーメーション）：行政・企業・個人の協働による新たなローカルコミュニティーの形成

・IX（インダストリアル・トランスフォーメーション）：グローバルからローカルソリューションへの産業重心シフト

・CX（コーポレート・トランスフォーメーション）：グローバル＋ローカルソリューションのバランス型事業ポートフォリオの構築

社会（SX）と産業（IX）と企業（CX）という3階層での動きは、10～20年単位の時間軸で見れば、相補的に連関しながら、同時並行的に進行するものである（**図1-4**）。以下、それぞれの動きを具体的に説明してみよう。

◆SX（ソーシャル・トランスフォーメーション）：行政・企業・個人の協働による新たなローカルコミュニティーの形成

まず社会全体としての変革のベースになるのは、ポストコロナで徐々に顕在化しつつある郊外・地方への人口分散化の流れや官民両面からのスマートシティー構想などを軸にした次世代型の都市構築、つまりは新たなローカルコミュニティーの形成である。このようなコミュニティーの形成に当たっては、その担い手の違いから以下のような3つのパターンが考えられる。

①行政主導型：コンパクトシティー構想など行政旗振りでの社会資本投資
②個人主導型：地方・郊外への人口移動を契機としたコミュニティー形成
③企業主導型：グローバル企業の街づくり参入などを通じた社会資本投資

実際には、右記の3つの形成パターンの組み合わせで多様なコミュニティーが全国各地に形成されていくことにより、行政視点で見れば、戦後の高度経済成長期に構築された老朽化した都市インフラの再整備につながることになる。また企業視点で見れば、特にポストグローバル資本主義時代における成長を模索するグローバル企業にとっての、新たな投資・事業機会につながる。こうした中で、日本でのコミュニティー形成に当たって主役になると目されるのは、やはり資金力豊富なグローバル企業。また大前提として、これら新たなコミュニティーのインフラでは、「グリーンエコノミー」の潮流に沿った低炭素かつ循環型の社会インフラが採用される。その手段としてデジタル技術が徹底的に活用されることで、運営の効率化とユーザー価値の最大化が図られることになる。

◆I X（インダストリアル・トランスフォーメーション）：グローバルからローカルソリューションへの産業重心シフト

次に産業の視点からの変革としては、まず前提としての地政学的な変化として、グローバル資本主義時代のような新興国を含む海外展開による地理的な拡大を前提とした産業成長が難しくなっている。特に日本の大手製造業が戦うモノづくりの領域で地理的拡大が困難になりつつある状況にどう対応するか、ということが大きな論点である。もちろん、個別の地域・国で見れば、アジアやアフリカなどの新興国における投資機会や事業成長の余地は残っている。しかしながら、世界のフラグメント化（細分化）が進み不確実性が増す中においては、そこから十分な利益を安定的に上げることが難しくなりつつある。こうした状況下でいかに既存事業を維持していけるかは、いまだにモノづくり型産業の存在感が良くも悪くも大きい日本の産業界としての、最大のチャレンジなのである。

このような中で日本のグローバル産業においては、無理に規模を追わずに日本企業の強みが生かせるニッチともいえる領域で、確実に勝てる戦略・戦術を実行することが重要となる。具体的には、特にGAFAのような巨大デジタルプラットフォーマーにのみ込まれずにしっかりとポジションを持続的に取っていけるような、ニッチトップ領域を定義していくことが必要。そこで現状の日本企業の勝ちパターンを分析してみると、4つの勝ちパターンが浮かび上がってくる。詳しくは第3章で述べるが、これらのパターンに当てはまる産業に徹底的に集中投資をして先鋭化させていくことが、日本の経常収支に長年貢献してきた従来型のグローバル産業での守りを固める上で、極めて大切になる。

このように、グローバル産業では地政学的なリスクも踏まえ、勝てる領域にフォーカスをしていく。その一方で重要になるのが、新たな投資・成長の機会をいかに確保するかだ。こうした面で日本国内では、ローカルコミュニティー形成の領域が有望なものとなる。特に、これまで自治体など官側が担ってきた公共サービスの民間企業による代替や、インフラ整備を含めたコミュニティー形成・運営、さらにはコミュニティー向けの各種のデジタルサービスの提供などが有望機会だ。新たなローカルソリューション産業が形成され、それが民間企業にとっても新たな投資・事業機会となってくる。

これらのローカルソリューションビジネスは、グローバル展開が容易だったモノづくり型産業に比べると、個別のローカライズが必要で手離れが悪く、一般的には期待収益率は従来のグローバル産業よりも低くなる。しかし地政学的なリスクは低く、一旦構築すれば長期安定的な基盤ビジネスとなり得る。また、自社の従業員を含めた個々人の生活の質の向上や社会全体としての生産性向上につながる事業ともなるため、結果としてそれを手掛ける企業の持続可能性も高めやすいという点での価値も高い。さらに言えば、少子高齢化や過疎化（人口分布の地理的不均衡）、人手不足など、世界の社会問題先進国ともいわれる日本において、このような新たなコミュニティー形成と社会インフラ構築をビジネスとして確立できれば、それが次の海外展開のネタともなり得る。

このようにＩＸの観点からは、例えばグローバル企業が、グローバル事業で稼いだ超過利益を国内の社会資本整備に一旦振り向ける。そこで新たなローカルソリューション産業を創造し、それを長期的に再度海外にも広げていくことで長期のリターンを確保可能にし、産業全体としての持続可能性も担保していく――。こうしたことを実現可能にするための、資金循環のサイクルをつくっていくことが必要になる。

◆ＣＸ（コーポレート・トランスフォーメーション）：グローバル＋ローカルソリューションのバランス型事業ポートフォリオの構築

では、ＩＸとして見てきたグローバルからローカルソリューションへの産業重心のシフトを、個別企業の視点で見ていくとどのようになるのだろうか。今回のコロナショックを機に、改めて事業ポートフォリオの変革に取り組もうという企業は多いが、コロナショックで浮き彫りになったのは、過度な事業の選択と集中が今回のような非常時においては経営リスクを高めるということであった。一方で、グローバル市場での地理的拡大が止まってくる中で、これまで一本調子で拡大してきたグローバル事業を従来同様に手広く続けることも難しくなっている。こうなると、ある程度の事業ポートフォリオの整理は必要になるが、大事なのはそこでの選択基準である。

選択に当たってはＲＯＩＣ（投下資本利益率）などの単なる定量的な経営指標を見るだけでなく、より定性的に自社（日本企業）が勝ち得る領域を適切に見極めていくことが大事である。また、事業ポートフォリオとしてバランスを取るためには、異なる経済性やビジネスモデルの複数事業をバランスよく持つことが重要になる。特に、これまでグローバル展開により成長を実現してきた大手技術系企業などから見れば、新たなコミュニティー向けのサービスなどのローカルソリューション事業を新たな事業領域として確立し、より筋肉質化した既存のグローバル事業と組み合わせて、いかにバランスのよい骨太な事業ポートフォリオに変革していけるかが大きなチャレンジとなる。

以下本書では、ポストコロナの観点を踏まえ、令和の時代における社会・産業・企業の３階層でのトランスフォーメーション（ＳＸ／ＩＸ／ＣＸ）を日本としていかに進めていくのか。その処方箋をできるだけ具体的に示していきたい。

まず第２章ではＳＸの現実的な方向性を解き明かしていく。第３章ではＩＸの具体的な方向感を、日本の技術系企業のグローバル産業における国際的な競争ポジションから見た4つのフォーカス領域の考え方と、日本における新たなローカルソリューション産業の形成アプローチの両面から検証していく。第4章では、CXの進め方とそこで目指すイメージを、個別企業の事例から紹介したい。最後の第5章では、これらSX／IX／CXをいかに連動させ、日本で令和トランスフォーメーションを推進して、新たな海外展開の可能性につなげられるかを提言する。

第 2 章

ＳＸ：行政・企業・個人の協働による新たなローカルコミュニティーの形成

２０４０年の日本の「社会」の姿……

必要なエネルギーを１００％自給自足するこの新しいコミュニティーに引っ越してきてから数年。近隣に自然も多く残る環境で、子供たちは伸び伸びと成長している。普段の仕事は夫婦ともにリモートワーク中心だから、もはや「通勤」という概念もない。とはいえ、東京まではリニアモーターカーを使えば1時間程度でアクセスできるので、大事な商談などで上京するにしても不便はない。

このコミュニティーでは、買い物やスポーツなどのレジャーを含めて、ほぼ日常生活のすべてをコミュニティー内で完結できる。コミュニティー内の移動も、キックスケーターや自動運転のＥＶ（電気自動車）が完全オンデマンドで利用できるため、誰もが出掛けやすい。先月は自宅の太陽光発電で得られた電気が余ったので近所にお裾分けしたところ、お礼として地域通貨が発行された。そこで今日はこれから、子供たちと買い物に行くところだ。このようにエネルギーの節約や混雑時の移動回避などでコミュニティーに貢献すれば、インセンティブもあるし、何より周りとのつながりも感じられる。結果的に共助の文化が形成されており、それがこのコミュニティーの利便性と持続可能性を支えている。

子供たちは、コミュニティー内にある大手有名私立大学の系列校や、タウンマネジメント会社が運営する、海外の有名ボーディングスクールが提供するカリキュラムに基づいた小中一貫校に通っている。そこでは個人の進度に合わせた学習が可能だから子供たちも無理なく学べるし、その後の進路も心配無用だ。学校に隣接するシニアホームでは、日常生活を通じた健康維持プログラムも充実していて、そろそろ年老いてきた両親も呼んでみようかと考えている。

実は、このコミュニティーは、大手の通信会社と自動車会社によって共同開発されたものだ。ここでは、ごみ収集とリサイクル、上下水道、文教・スポーツ施設など、必要な公共サービスも含めて、開発主体の民間企業と各家庭とが共同出資するタウンマネジメント会社によって運営されている。リモートワークで仕事の生産性が高まっていることもあり、多くの住人は平日のうちの1日をコミュニティー内での活動時間に充てている。このため、住民同士の交流も活発だ。行政のサポートも受けながら、企業と住民が一体となって自分たちのコミュニティーを育てているという実感もある。日本全土を見渡しても、このようなコミュニティーがかなり増えている。東京にいた頃は仕事とプライベートの両立であくせくしていた我々も、ゆったりとした時間の中で生活できるようになった――。

本章では、こうした未来の社会を生み出すことになる、SX（ソーシャル・トランスフォーメーション）実現に向けた現実的な方向性を明らかにしていく。そのために、まずはその実現のベースとなる社会システムの在り方、ポストコロナ時代における社会システムに期待される要求事項と、新たなコミュニティー形成に向けた実現技術を整理する。その上で、新たなコミュニティーの形成パターン、今後の社会資本整備の担い手について展望していく。

◆ポストコロナ時代の新たな社会システム

◆社会システムが問われていること

まず、ポストコロナ時代の社会システムに求められていることの1つ目は、レジリエンス（しなやかな回復力）だ。コロナショックによって、これまでの社会システムの脆弱性が露呈したといっても過言ではない。例えば、大都市への過度な人口集中・過密化は、いわゆる「三密」状態を広げることになり、感染拡大の温床となった。また、グローバルレベルでのヒト・モノのサプライチェーンの複雑化は、感染の容易な拡大と一部チェーンの停止の連鎖をもたらした。さらに、よりソフト面に注目すれば、都市の過密化は社会的な共感性の低下をもたらし、「他人に感染させてはいけない」と思わないような、利他意識の希薄化を招いているようにも見える（**図2-1**）。

　このように、従来のグローバル資本主義経済における偏重した「経済合理性」の追求というパラダイムは、いつの間にか社会としてのレジリエンスの低下を招いてきた。そして理解すべきは、これは新型コロナに限った話ではないということだ。台風・地震などの大規模災害や長期的な気候変動に対して、我々の社会は脆弱になっている。

　このような中で社会システムのレジリエンス性を高めるために、様々なレイヤーでの議論が起こりだしている。まずは都市構造の面。人口や都市機能などの「過度な集中」から「適度な分散」へのシフトだ。地域を軸として、その中で必要な資源を回すことができると

図2-1　社会システムのレジリエント化

出典：ADL

いう、自律分散型社会の実現に向けた動きともいえる。また、ポストコロナに向けた都市空間ということでは、ゾーニングの見直しに向けた議論もある。ゾーニングとは空間を用途に分けて活用することであり、従来の都市設計では基本的な考え方の1つだった。しかし、新型コロナのような危機の中では、その用途固定性が社会のフレキシビリティーを大きく下げることが認識された。公共スペースや建築物を、ある時は商業施設、ある時は医療施設などとフレキシブルに活用できるように、「冗長性」を高めた考え方が必要となっている。

さらに、危機に直面した中での社会統治の考え方についても議論が巻き起こっている。今回のコロナショックのような危機対応においては、全国一律的な判断を行うことは難しい。つまりこれは、地域単位での意思決定・合意形成の実現に向けた議論とも言える。こうして見ていくと、社会システムとしてのレジリエンス性を高めるためのカギは、適度に分散化した、フレキシブルで、適度な規模の地域社会をベースにするということだと考えられる。つまりはローカルな「コミュニティー」の設計に掛かっていると言えるのだ。

このような観点は、コロナショックの後に、建築家や都市計画家らからも語られ始めている。例えば、日本を代表する建築家である隈研吾氏はこれからの社会システムへの要請として、「ヒューマンスケール」への移行の必要性を説いている。また、同氏はゾーニングのルールを緩め、空間の用途区分を柔軟に変更できるようにすべきという、フレキシビリティーの考え方を提唱している。こうした提言は、今後の社会システム設計における要求事項として、重要性を増していくだろう。

そしてもう1つの社会システムへの要求事項は、サステナビリティーだ。従来から、気候変動対策としての環境維持は国際的な課題となっていたが、新型コロナ後の経済復興のもくろみを兼ねて、主要各国は温暖化対策などで経済復興を目指す「グリーンリカバリー政策」を加速させている。欧州や中国に続いて日本においても、菅義偉首相による温暖化ガス排出量の実質ゼロを目指す「2050年カーボンニュートラル」宣言が打ち出された。

その実現のためには、大ざっぱに言えば、まずは社会の電化を進めつつ、その中で再生可能エネルギーの導入比率を高めていく必要がある。同時にエネルギー活用の合理化を進め、熱を含めて、再利用できる資源を有効に回していく。それでも二酸化炭素（CO_2）を排出せざるをえないところはCO_2回収を進めていくことが必要となる。

この際、環境による変動性を持つ再生可能エネルギーをうまく使いこなすためには、需給一体でエネルギー活用の最適化を図っていく必要がある。そして再生可能エネルギーの場合は太陽光発電や風力発電などにしてもエネルギー源が分散化されることになる以上、まずは地域単位でエネルギーの最適化を考えることが自然といえる。そしてサステナビリティー実現の観点からは、あらゆる資源の循環性を高める「サーキュラーエコノミー」という考え方も導入していくことが重要だ。例えば、電気に加え熱エネルギーも含めて最適化しようとすると、輸送しにくい熱エネルギーをうまく使うためにも、地域内で電気と熱のエネルギーを連携していく必要がある。つまり、社会システムとしてのサステナビリティーを高める上でも、エネルギー全体の最適化を需給一体で、ローカルなコミュニティーというものをベースに検討する意義は大きいのだ。

このように、ポストコロナ時代に向けては、社会システムをレジリエント&サステナブルな形へと転換していくことが必要となるが、その共通的なカギは次世代型のコミュニティーというものの再設計にある。その究極的なイメージの1つは、あらゆる資源の地産地消性を高めたコミュニティー像ということになるだろう。コミュニティーの中で分散型再生可能エネルギーで発電し、それを複数世帯で融通しながら互いに支えあうように活用する。また、その需給状況を見ながら、地域内のEVバスなどを運行。さらには地域によっては農作物の余剰分を地域内でバイオマスとして活用しつつ、その排熱も有効に活用する。このように地域内で各世帯が協力して、コミュニティー一体として地産地消性を高めていくことは、地域としてのレジリエンスとサステナビリティーを担保し、地域の自律性を高めることにつながっていく。

◆ポストグローバル資本主義の流れの中でのコミュニティー

実はこうした変化は、ポストグローバル資本主義に向けた経済活動の変化とも符合する。グローバル資本主義の先行きを疑問視する声は年々高まっている。世界の経営者や政策当局者が集まる世界経済フォーラムの年次総会（ダボス会議）においても、2020年の最大アジェンダは「資本主義の再定義」であった。ひたすらに経済成長のフロンティアを追い、スケーラブルなビジネスを展開することで、株主に利益還元するというグローバル資本主義はその限界を迎えつつある。つまり、企業にとってはグローバルの中での成長機会が減少する。さらにそうした企業が苦境に立てば、特に人口減も重なる日本の行政にとっても税収・財政の厳しさが増し、新たな社会資本整備を担っていくことも困難となりかねない。

その中で今後重要になる考え方は、従来行政が担ってきた機能を、企業や個人が取り込んでいくという考え方だろう（**図2-2**）。例えば、企業がビジネスとして行政に代わって社会インフラを整備し、その運営を担うことで一定の対価を獲得する。つまり、従来の行政・企業・個人という関係性を再定義していくという構図でもある。なお、これは市場でESG（環境・社会・ガバナンス）価値が高まる中で、企業も主体的に社会課題を解決していく存在になっていくというトレンドとも符合するものだ。そうした中で、企業や個人の新たな役割とともに新たなビジネスを生み出す形になる次世代型のコミュニティーというものの存在が、大きくクローズアップされてきている。

つまり、ポストグローバル資本主義として、いわばコミュニティー資本主義とでもいうべき社会パラダイムへの転換が起ころうとしており、それは行政と企業・個人の関係性の変化とも言える。このような変化がポストコロナ時代に向けて加速度的に希求されていると考えられるのだ。

◆新たなコミュニティー形成に向けた実現技術

ここまで新たなコミュニティーの必要性・重要性について述べてきたが、次にこうした小規模・分散型となるコミュニティーを形成するための実現方法についても見てみよう。新たなコミュニティー形成を後押しする実現技術が大きく進化している（**図2-3**）。

まず、個別の技術領域を見てみると、代

図2-2　コミュニティー形成に向けた政府・企業・個人の垣根の変化

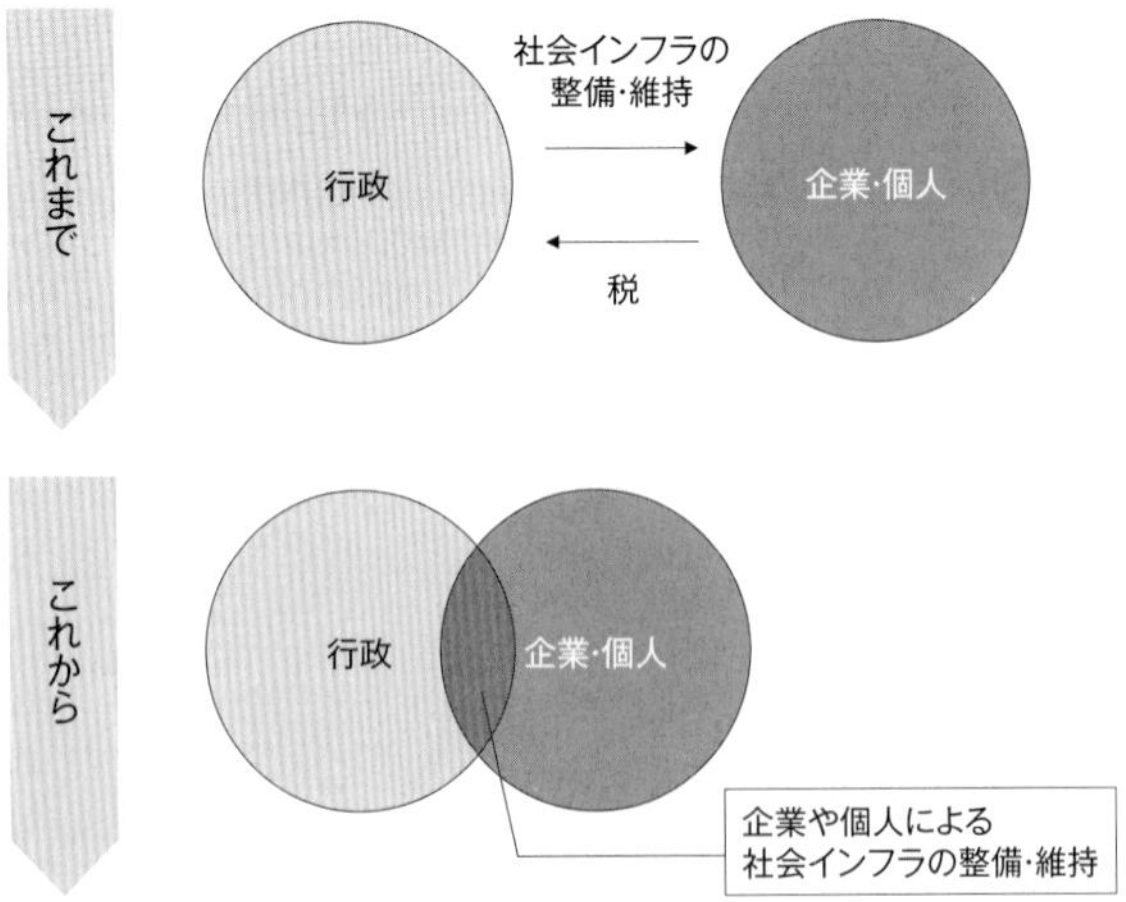

出典：ADL

表的な社会インフラであるエネルギー、モビリティーのそれぞれにおいて分散型技術が発達している。エネルギーについては太陽光発電や蓄電池をはじめとした分散型エネルギー関連技術が発展しており、太陽光発電と蓄電池を導入した場合の電力コストが、電力会社が設定した電力料金を下回る「蓄電池パリティ」といわれる状況の実現も見えてきている。そして、地域内でのエネルギーの地産地消を目指した実証も広がっている。一方モビリティーについては、地域住民の足として期待される相乗りなどのモビリティーサービスなどの実証が進み、地域内で人の移動とモノの移動を同時に行う貨客混載も一部解禁がなされた。将来を見据えれば、BRT（バス・ラピッド・トランジット）などの自動運転に向けた動きも目覚ましい。従来、エネルギーやモビリティーといった社

図2-3　新たなコミュニティー形成に向けた技術進化

エネルギー	・太陽光発電などの分散型エネルギー ・蓄電コストの低減
モビリティー	・相乗りなどのモビリティーサービス ・自動運転
デジタルツイン	・デジタル空間上での、リアル空間の総合的な再現・シミュレーション

出典：ADL

会インフラは電力会社や鉄道会社などの重厚長大なプレーヤーが担ってきた部分が大きいが、技術進展に伴って、重厚長大ではない、いわば地域密着型のインフラの整備も可能になる。

また、近年はエネルギーやモビリティーといったリアル側の技術だけではなく、ICT（情報通信技術）を活用した仮想現実技術も進化している。中でも特に次世代のコミュニティー形成に寄与しそうな技術は、「デジタルツイン」だ。デジタルツインとは、簡単に言えば「リアルな物体をデジタル空間上に再現する」技術である。それによってデジタル空間上で種々のシミュレーションを実施することができる。もともとは、機械部品の耐久性などをシミュレーションするために、製造業分野をはじめとしてその用途開発が進んできた。

このデジタルツインは、より広い系に対しても適用することができる。例えば、街全体をデジタル空間上に再現しようとする取り組みが既に始まっており、これが最適な次世代コミュニティー形成のためのカギを握っているともいえる。海外ではシンガポールなどが都市全体のデジタル化を目指す取り組みを数年前から進めてきた。「バーチャル・シンガポール」という構想であり、これは文字通りシンガポール全体をデジタル空間上で再現するものだ。具体的には、都市国家全体の建築物や地形に関する情報、交通やエネルギーなどの社会インフラに関する情報のデジタル化を進めることで、より住みやすい社会をつくることを目指している。

また、中国ではアリババグループが「ＥＴシティー・ブレーン」構想を進めており、デジタルツインはその基盤ともなっている。同構想はリアルタイム都市データを活用し、都市オペレーションにおける不具合を即時に直すことで都市の公共リソースの最適化を図ることを目的とした構想だ。デジタル空間上で都市を再現し、そこに都市に関する膨大なリアルタイムデータとアリババグループが保有するデータ群を重ね合わせることで、都市内の人流・物流・商流・金流を可視化し、その整流化を行おうという狙いがある。

つまり、デジタルツインはいくつかの観点で、次世代コミュニティーの実装（構築・運用）を支える基盤的技術となり得る（**図2-4**）。その1つは「カスタムソリューションの基盤」としての側面。本

図2-4　デジタルツインが果たす次世代コミュニティー基盤としての役割

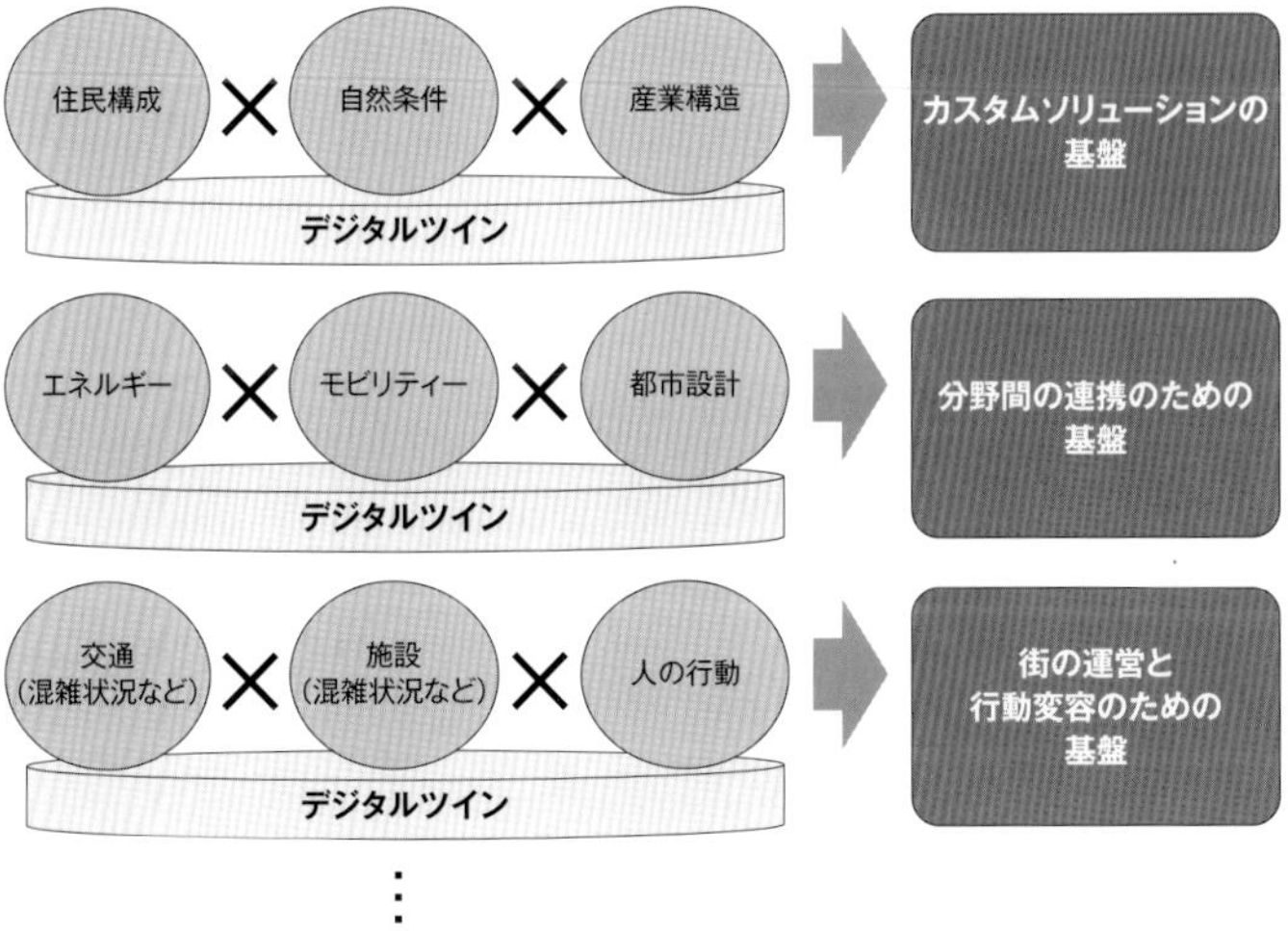

出典：ADL

来的にはどの街もそれぞれ固有の住民構成、産業構造、自然条件を持っており、ひとつとして同じ街はない。そのため、次世代コミュニティーの設計においては個々にカスタマイズが必要となるのだが、デジタルツインはそのシミュレーションを支える基盤となる。また、デジタルツインは「分野間の連携のための基盤」となる側面もある。例えば社会システムとしては電力やモビリティーなど個々の構成要素ごとの最適化ではなく、全体としての最適化が必要となる。その際に電力だけではなく熱を含めてエネルギーを最適化したり、エネルギーにモビリティーなどを含めてコミュニティーにおける移動全体を最適化したりする際の基盤ともなる。例えばウィズコロナのフェーズにおいては、移動状況や施設状況などのデータを組み合わせて「三密回避」と経済活動の調和を図るといった活用方法なども考えられる。

さらにデジタルツインには、「街の運営と行動変容のための基盤」という側面もある。これはリアル空間とデジタル空間との相互フィードバックシステムの構成基盤となるということ。まず、街の状況を把握してその後の状況変化を予測し、デジタル上でその予測と最適な状態とのギャップを計算し、その上で全体最適化のために個々人に何らかの対応を働きかける——。こうしたループを回すようなイメージだ。例えば、電力供給が不足するタイミングでは住民に不要不急な電力消費をやめてもらったり、道路が混雑するタイミングでは不要不急な移動を控えてもらったりといった状況が想像しやすい。実生活の中では、互いが少しだけ気を使えば全体がスムーズに流れるといった場面は多い。もちろん、その際は個人に対して行動を変えてもらうために何らかのきっかけを提供する必要があり、それは混雑情報の提供だったり、金銭的なポイントの提供だったり、地域や個々人によって望ましい様々な手法があるだろう。

このようにエネルギー、モビリティー、デジタルツインといった分野での技術進化が加速することにより、新たなコミュニティー形成に向けた環境が整いつつある。

◆ユーザー視点からのコミュニティー価値の最大化

さらに、住民により近いサービスについても、今後さらなる発展が進みそうだ。具体的には、教育や健康、趣味関連の、よく生きる・暮らすためのサービスだ。ウェルビーイング（身体的・精神的・社会的に良好な状態にあること）を支えるためのサービスとも言い表せる。

エネルギーやモビリティーといった社会インフラは住民にとって生活するための手段であるのに対して、ウェルビーイングは生活における理想的な状態を意味する。こうしたソフト領域におけるサービスには、ハード領域のインフラ以上に、付加価値を乗せられる可能性がある。住民にとってそうしたウェルビーイングを支えるサービスは住む所を選ぶ際の重要な視点となるため、コミュニティーに人を引き寄せる吸引力にも直結する。また、住民にとっての住むことの価値、ひいてはコミュニティー価値そのものともなり得る。

これらのウェルビーイングを支えるサービスは、近年目まぐるしく発展を遂げている。特に顕著なのは教育だろう。例えば、ウィズコロナの中で教育のデジタル化が急速に進み、オンライン化に加えて、生徒一人ひとりの特性に応じた個別化を実現しようとする動きも顕在化している。これまでも教育の場においては履修制と修得制を巡る議論があったが、デジタルを活用した個別化は個人の学習プロセスや理解度に連動した、より個人に寄り添った学びを実現できる可能性もある。このことは単に教育の質向上という以上の意味合いがある。それは「教育」から「学習」への転換ということでもある。「教育」という言葉は提供者から見た言葉であり、それを学び手であるユーザーから見た「学習」として捉え直すことで、ユーザーから見てより魅力的なサービスが実現されていくだろう。

さらに注目すべきことに、ウェルビーイングとインフラとが相互に連携したサービスも登場しつつある。代表例は、米マイルズが提供するサービスだ。地上版マイレージサービスとも称せるこのサービスは、同社のアプリの利用者に対して移動するごとに「マイル」を付与する。この時、徒歩や自転車で移動すれば、自動車での移動よりも多くのマイルが付与される仕組みとなっている。モビリティーサービスが注目される中で交通の利便性だけを追求するサービスが多い中、移動を「健康」などとも結びつけられるこのサービスは、大きな可能性を秘めているだろう。また、地産地消型のエネルギーサービスに向けた動きが広がる中、日本では福島県において、エネルギー価値をコミュニティー価値へつなごうという意欲的な実証が推進されている。「再生可能エネルギー関連技術実証研究支援事業」として推進されているこの実証は、各家庭が発電した再生可能エネルギーを地域内で融通するだけでなく、それと地域通貨とを結びつけていることが特徴だ。具体的には、再生可能エネルギーの提供によって獲得した地域通貨を地域内で使うことで、地域としてのエネルギー自立化に加えて、「地域内での買い物や交流」などのコミュニティー価値の創出にもつなげていける可能性がある。

モビリティーやエネルギーといったハード領域のインフラは、コミュニティー形成における必要不可欠な要素だ。しかし、これまでは交通にせよ、電力にせよ、重厚長大的なインフラがそれらを担ってきたこともあり、どうしても提供者の論理で捉えられがちであった。そもそも「交通」などといった言葉自体、提供者から見た言葉だ。ユーザーの視点から捉えると「教育」が「学習」として表現されるように、これは例えば「移動」などと表現されるべきものであろう。さらに言えば、それらはすべてユーザーのウェルビーイングを支えるためのものでもあるはず。より大きなコミュニティー価値を生み出していく契機ともなるものなのだ（**図2-5**）。つまり、次世代のコミュニティー形成とは、このように社会システムそのものをユーザーの視点から捉え直し、従来型のサービスを新たなサービスとして再構築することで、新たな産業を生み出すことでもある。

◆今こそが変革の時

ここまで述べてきたようにポストコロナの時代には、レジリエント&サステナブルな社会システムへの転換が求められており、結果として「新たなコミュニティーの形成」が重要になっていると言える。そして、それは新型コロナへの対応という文脈だけではなく、ポストグローバル資本主義に向けた大きなうねりの中での帰結でもある。また、その実現のために必要な技術要素もそろいつつある。

ここで日本としても今、社会システムの刷新に取り組むべき状況にあるのは確かだろう。世界に目を向けて見ると、既に社会システムの在り方が問われ、従来から継承されてきたグローバル資本主義も限界を迎えつつある。さらに今回のコロナショックは、民主主義の在り方を問い直すことにもつながった。例えば、強権的なアプローチをもって新型コロナを早期に収拾したとされる中国は、権威主義的な政治体制を民

図2-5　ユーザー視点からのコミュニティー価値の最大化

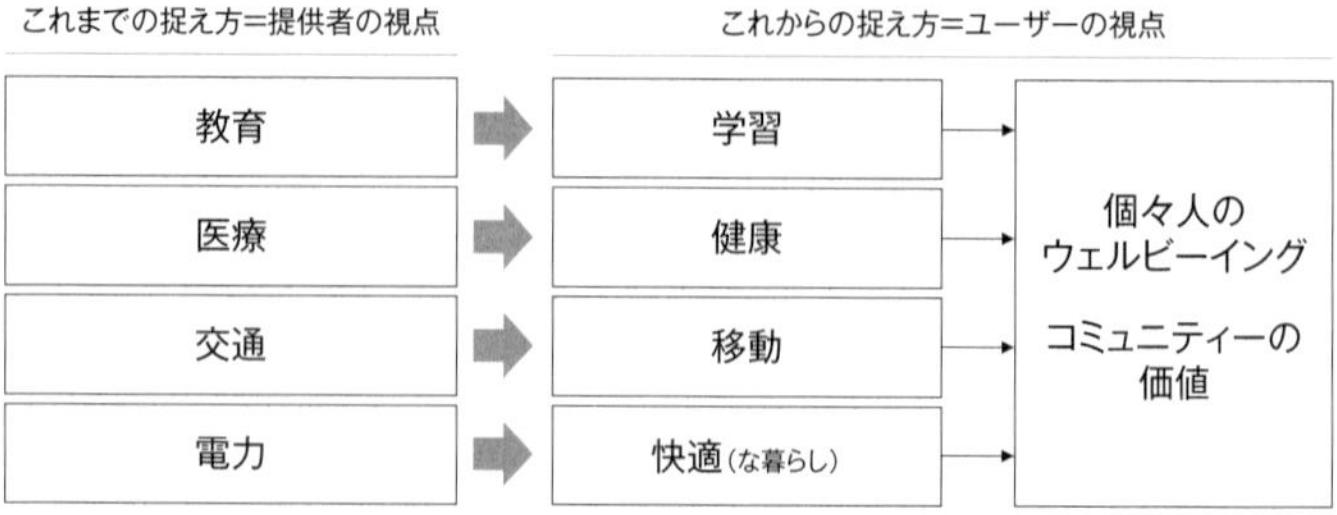

出典：ADL

主主義に代わる新たな統治モデルとして世界に問うているともいえる。

一方で、特に米国ではコロナショックの中で、基本的人権としての個々人の利益追求と公共全体の福祉のバランスで苦慮。欧州では、コロナショックを受けて、従来から議論を進めてきた新たなデータ保護戦略の発表を延期するにも至った。その背景にあったのは、感染拡大阻止のための個人情報の活用をいかにすべきか、そうした個人情報を巡る世論の激変だった。つまり今回のコロナショックによって、従来の社会システムに対する大きな揺らぎが起こったわけだ。

こうした状況は、今後の国際関係・ジオポリティクスにも影響し得る。コロナショックで加速した社会システムの揺らぎの中で、世界経済フォーラムの年次総会であるダボス会議では、2021年のテーマとして「グレート・リセット」を掲げた。グレート・リセット、つまりはよりよい世界を実現していくために、この社会と経済のあらゆる面を見直し、文字通り刷新していこうという考えだ。

また、今後は新型コロナ後の経済刺激という側面も見据え、多くの国が「グリーンリカバリー」を掲げて環境を重視した次世代の社会システムへの投資を進めていくだろう。過去にはリーマン・ショック後に米国が「グリーンニューディール」としてスマートグリッド（次世代送電網）などの社会インフラ整備を推し進めたが、今回は単なるインフラ整備にとどまらず、社会システムに対する思想を含めた、より大きな転機となることはほぼ確実だ。日本としてもこのような大きな確かなうねりの中で、後塵を拝するわけにはいかないだろう。

一方で、日本国内に目を向けて見ると、人口減少と高齢化の中で社会インフラの構築・運用などを担う自治体の財政は危機的な状況が続いている。特に地方においてはその財政状況は非常に厳しい。以前は継続的な経済成長や人口成長が前提として続く中で、重厚長大的な社会システムを整備することに何も問題はなかった。しかし時代が変わり、継続的な経済成長を前提にできないポストグローバル資本主義の時代に差し掛かっている今日においては、従来のままでは解消しようのない負担を未来に先送りするだけの構図になりかねない。従来型の手法は既に限界を迎えており、抜本的な転換が必要となっている。

こうした中で、継続的な成長を前提とした重厚長大的な社会から、より小規模・分散型のコミュニティーをベースとした社会へと転換することは、未来への負担先送りの構造からの脱却にもつながる。また地域内で必要資源の循環性（地産地消性）を高めることで、日本全体としての国際収支を改善することにも寄与するはずだ。地域ごとに特徴を生かして、特徴ある主体が主導して、特徴ある新たなコミュニティーを形成していくことで、日本全体としての勢い、存在価値を未来に向けて維持していくことも期待される。

このような大きな転換を実現するにはタイミングも重要になるが、実は仕掛けるなら今が好機といえるのである。通常、社会スキームは漸進的にしか変わらず、変化に対しては抵抗的ですらある。しかし、歴史を振り返ると、戦争や経済危機などの危機のタイミングで新たな社会観が模索され、それが実現手段（アイデアや技術）と結びついて、次なる社会スキームが生まれてきた。

現に、新型コロナをきっかけに、これまで社会的なイノベーションを阻んできた要因となっていた固定概念そのものが変わってきている。例えば、接客業務などを担うサービスロボットやレジ無人化などの開発は従来から進んできていたが、その実現のボトルネックの1つは「ロボットに接客させるなどけしからん」という固定概念だった。しかし、新型コロナの中では「無人の方が顧客にも従業員にも優しい」という考え方が生まれてきた。さらに分かりやすいのは、リモートワークだろう。従来からオンラインでのコラボレーションツールはあったが、「仕事は対面が大事」という固定概念がその活用を阻んでいた。しかし、新型コロナ禍の中ではむしろオンラインを前提にオフラインを場面によって使い分けていくという働き方が定着し、郊外への移住傾向すら顕在化することになった。新型コロナが社会・経済にもたらした被害は大きく無神経な表現にもなりかねないが、あえて言えば、未来を見据えて社会システムを変革するとすれば、今が絶好のチャンスなのである。

さて、この令和の時代に、SX（ソーシャル・トランスフォーメーション）に向けた環境は整ってきた。そして仕掛けるなら、今が絶好の好機である。では、はたして誰がどのようにその変革を仕掛け得るのだろうか。次に見ていこう。

次世代コミュニティーの形成に向けた必要アクション

新たなローカルコミュニティーの3つの形成パターン

日本における次世代コミュニティーは、誰がどのようにつくり上げていくのか。その実現に向けた変革（社会資本整備）の担い手は、コミュニティーの構成要素である行政・企業・個人のそれぞれから捉えていくのが分かりやすいだろう。

①行政主導型：コンパクトシティー構想など行政旗振りでの社会資本投資
②個人主導型：地方・郊外への人口移動を契機としたコミュニティー形成
③企業主導型：グローバル企業の街づくり参入などを通じた社会資本投資

厳密にはこれらはオーバーラップする部分もあり、また実際にはそれらの掛け合わせで次世代コミュニティーの形成が進むこととなるが、まずは社会資本整備（資金）の担い手を大きく3パターンに分けて考えていく（**図2-6**）。以下、それぞれのパターンについて見てみよう。

◆①行政主導型：コンパクトシティー構想など行政旗振りでの社会資本投資

次世代コミュニティーを形成していく上で、おそらく一番イメージしやすいのは行政主導型だろう。これまでもコンパクトシティーであったり、災害復興であったり、街づくりにおいて行政が担ってきた役割はイメージがしやすい。

ただし、これまでの取り組みを振り返ってみても、行政主導のコミュニティー形成は必ずしもうまくいってきたというわけではない。日本では第三セクターの状況がそれを象徴しているだろう。第三セクター

図2-6　次世代コミュニティーの形成パターン

形成パターン	概要	各パターンにおいて重要なこと
①行政主導型	・コンパクトシティー構想など行政旗振りでの社会資本投資	・デジタル公共財の徹底開放を通じた、民間企業や市民との連携 ・企業や住民からの投資やコミットメントを引き出すためのスキーム
②個人主導型	・地方・郊外への人口移動を契機としたコミュニティー形成	・人の呼び込みのきっかけとなる、地域の独自性の追求 ・地域通貨や「シビックテック」など、住民参画とコミュニティー運営をつなぐ仕組み
③企業主導型	・グローバル企業の街づくり参入などを通じた社会資本投資	・企業にとっての新たなビジネス領域やイノベーション環境の確立 ・企業活動と、コミュニティーの未来に対する社会的責任の連動

出典：ADL

とは、事業の効率化のために民間企業の資本や人材も取り込んで設立される行政主導の事業体であるが、全国的に見ると失敗が相次いできた。その要因としては、議会の意思決定が重視され最終的な利用者である住民との間に距離が生じたり、失敗時の全体の責任の所在も曖昧だったりすることが多く、企業の参画も形式的なものになりがちだったことなどが挙げられる。

こうした過去の経験を経て進めることになる行政主導型のコミュニティー形成においては、行政が主導するだけではなく、民間企業やユーザーである市民とのつながりをいかに生み出し、それらの参画をいかに引き出していくかが重要となる。では、そのためにはどのような仕組みが必要になるのか。そこでは、データとお金の流れの再設計がカギを握ることになる。

官民のデータ連携の必要性

データという意味では、昨今は行政のデジタル化が急ピッチで進んでいる。ここでも今回のコロナショックが、その強力な推進要因ともなった。現在、行政のデジタルトランスフォーメーション（DX）として、窓口対応のオンライン化や行政職員のリモートワーク化に、多くの自治体が乗り出している。ただし、このような日本でのDXの動きは、まだ行政サービスの効率化を目指すといった段階であり、民間企業や市民とのつながりそのものを変えているわけではないということは注意しておきたい。

しかし世界においては、民間企業や市民とのつながりそのものを変えているような先行事例が存在する。その代表例は、インドにおける「インディア・スタック」の取り組みであろう（**図2-7**）。

インドは、まだ貧困層も多く、その国民の多くがＩＤ（身分証明）を持たないために金融サービスの口座などを開設できずにいた。このような状況を改善するために、２０１４年に政権交代を果たしたモディ政権は、インディア・スタックの取り組みに着手した。具体的には、政府主導で全国民にデジタルＩＤを付与し、本人確認基盤などのＡＰＩ（アプリケーション・プログラミング・インターフェース）を民間サービスに開放することで、多くの国民に対して多様な公共サービスやファイナンスの機会を提供することを目指している。今回のコロナショックに伴う経済対策でも、このインディア・スタックを通じて国民への直接現金給付

図2-7　インディア・スタックの概要

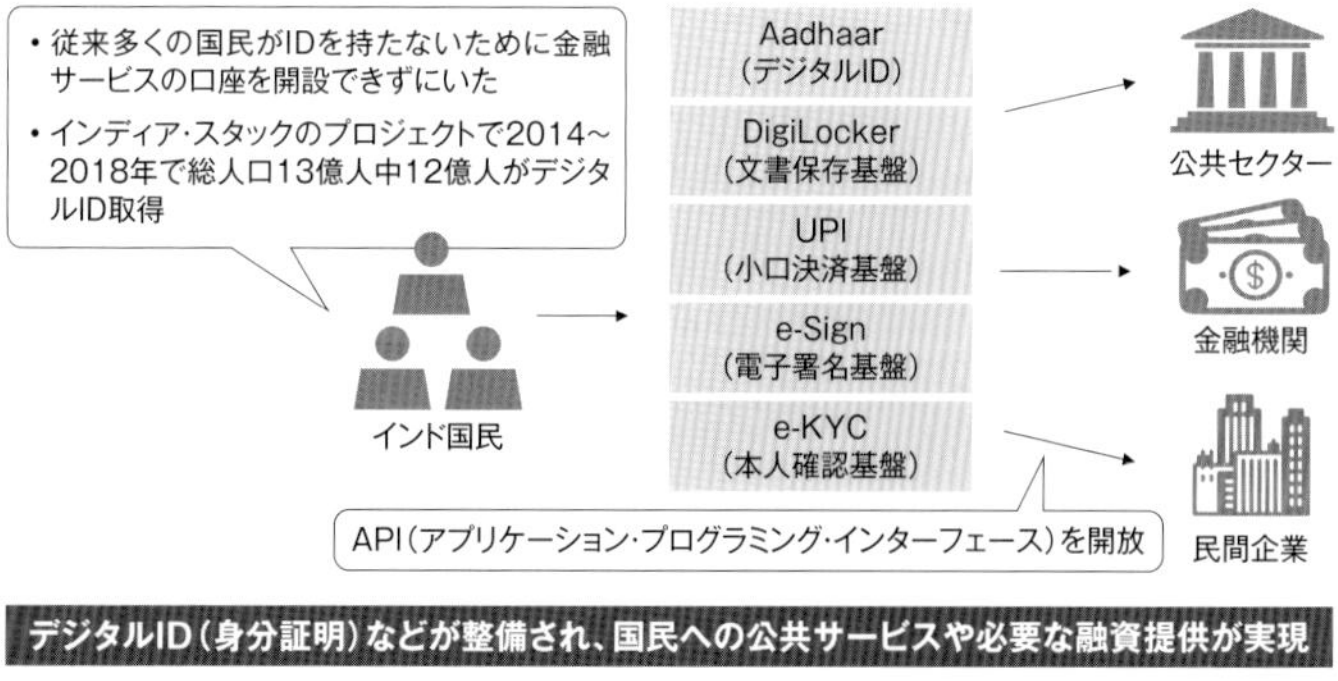

出典：ADL

が迅速に実施され、世界から注目された。その特徴の本質は、本人確認などの機能を民間に開放したという点。プライバシー保護が大前提だが、行政・企業・住民が互いにつながるプラットフォームを公共財として提供している形だ。またこれは、行政視点の効率化だけではなく、ユーザー視点で官民のサービスを連携していくためのプラットフォームともなっている。

このような「デジタル公共財」の整備によってもたらされる将来の可能性は大きい（**図2-8**）。例えばユーザー視点から捉えれば、行政サービスの脱画一化が図られることにもつながりそうだ。例えば、免許データと運転データ、保険データなどを連携できれば個人の状況や能力に合わせた免許更新ができる可能性もあるし、また、ごみが少ない人には住民税負担を緩和するなど個人行動と社会負担の関係を変えていける可能性もある。

さらにこうしたデジタル公共財を使えば、同時に民間企業のサービスも進化する。例えば、本人の同意の下で自身に関する福祉データと、定期的に通っている病院の履歴、日々通っているフィットネスクラブなどのデータを連携できたらどうだろうか。こうした官民をまたいだデータ連携は現状ではできていないが、ユーザーにとっては「自身の健康」を維持するためのサービス群であり、カスタマージャーニーの観点からは本来的にはつながるべきものであろう。実現すれば、さらに飲食や生命保険のサービスを巻き込むなどして、「自身の健康」を支えるより高度なサービスの開発なども見込まれる。

つまり、デジタル公共財とは、行政・企業・住民に互いの垣根を越えたつながりを生み出し、それぞれの立場からサービス開発などに参画できるようにする基盤ともなる。結果的に、単なる行政の効率化から、行政サービスの脱画一化（パーソナライズ）、さらにはユーザー視点での各サービスの連携（カスタマージャーニーの統合）が実現される可能性が高まるわけだ。

▼お金の流れを再設計する

行政主導型のコミュニティー形成でもう1つの必要な仕組みは、新たなお金の流れだ。今後の少子高齢化と人口減の中で、当然ながら地方交付税を含めて自治体の財源は限られてくる。こうした中、次世代コミュニティー形成の財源として、企業や住民の投資も引き出していく必要

図2-8　デジタル公共財の展開

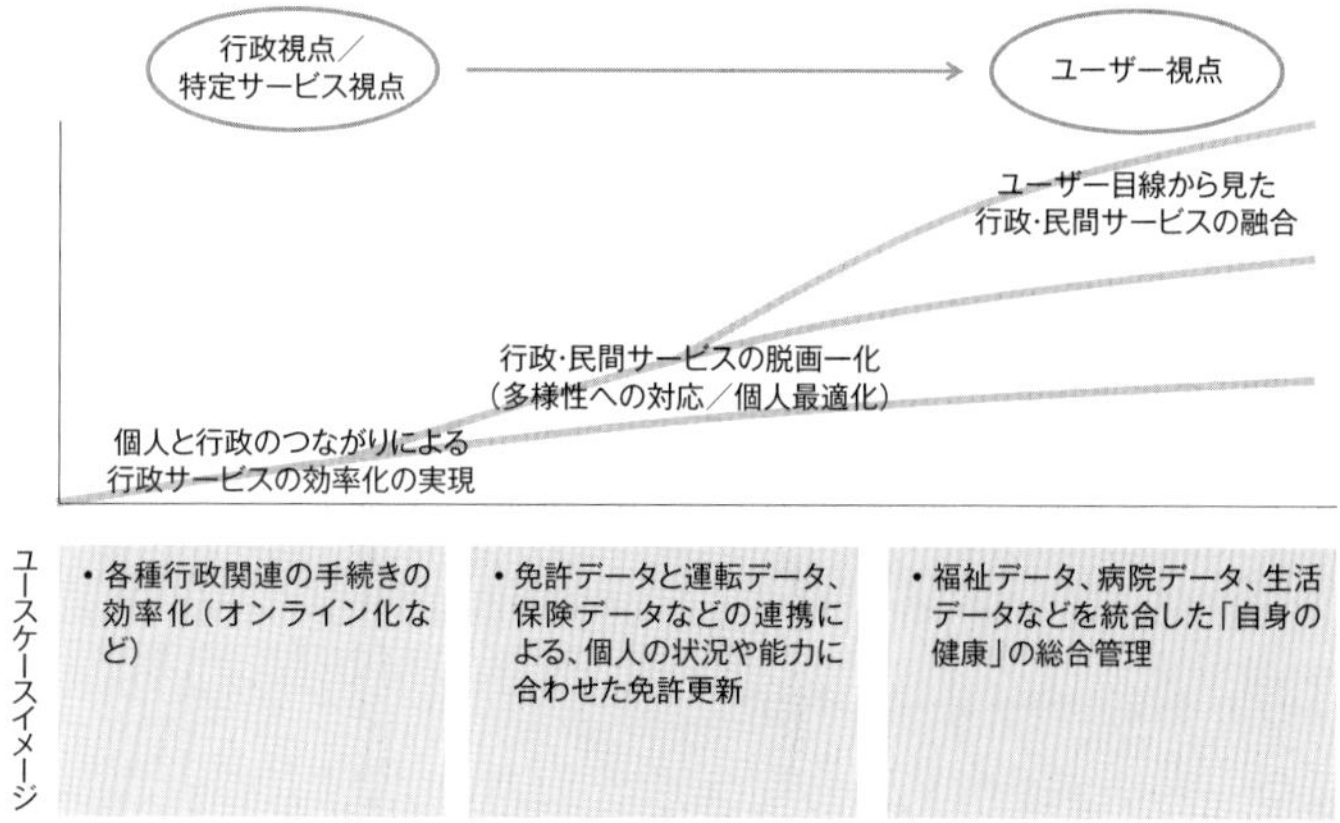

出典：ADL

がある。これには単にインフラ構築のための資金獲得という意味だけでなく、企業・住民からの当該コミュニティーの維持に向けたコミットメントを引き出すという効果もあるだろう。

そのためには、企業や住民からの資本を引き出すためのスキームが必要となる。近年は企業から自治体にお金が流れる仕組みとして、企業版ふるさと納税という制度が話題となった。しかしながら、これは企業にとっては寄付額の一部が税制控除される仕組みであり、寄付ということを超えて、企業から直接的な参画を引き出すといった類いのものではない。より企業の資金と参画を求める仕組みとしては、従来からあるＰＦＩ（民間資金を利用した社会資本整備）が挙げられるだろう。

その仕組みを単純化して言えば、第三セクターは行政主導の中で民間企業は資金と人材を提供することが通例だったが、ＰＦＩはそれに加えて経営参画を引き出すスキームとなる。次世代コミュニティー形成に向けては、ＰＦＩをより活用することが重要になるだろう。ただ本質的には、ＰＦＩはこれまで行政が担っていた業務やインフラ構築などの、民間委託による効率化である。次世代コミュニティー形成に向けては、未来の社会価値の創出と経済価値（企業価値）の向上を両立していく仕組みへの進化が必要とされる。そのヒントはソーシャル・インパクト・ボンド（ＳＩＢ）にあるだろう。

ＳＩＢとは官民連携の仕組みの1つであり、行政と民間企業とが連携して、社会問題の解決を目指す「成果連動型」のスキームとなる（**図2-9**）。つまり、ざっくりと言えば、企業が未来の社会価値を創り出すことで、自治体からその成果としての報酬を受け取る仕組みと言える。

ＳＩＢは、もともとは英国で発祥した制度であるが、近年は日本国内でも徐々に導入事例が増えつつある。例えば、東京都八王子市では市民の健康寿命の延伸のために、ＳＩＢを用いた大腸がん検診・精密検査の受診勧奨事業に取り組んできた。対象者の特定健診や、がん検診およびレセプトデータなどの医療関連情報をＡＩ（人工知能）を活用して分析し、個々人に対してオーダーメイドの受診勧奨を実施する。これによる精密検査受診率や早期がん発見者数を成果

図2-9　ソーシャル・インパクト・ボンド（SIB）とは

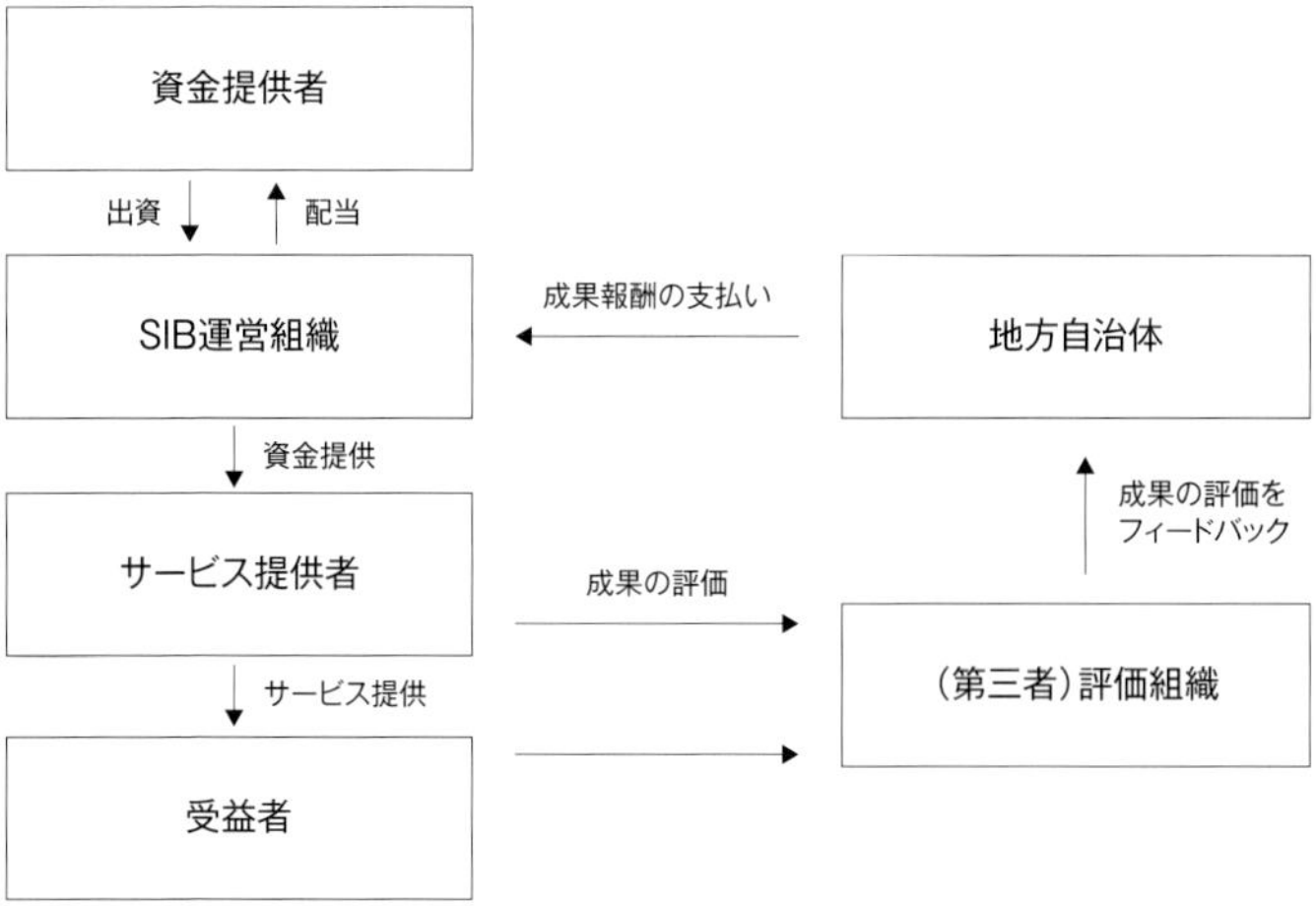

出典：ADL

指標として、成果報酬型で八王子市から事業主体に支払いがなされる仕組みとなっている。

同様の取り組みとしては神戸市も、糖尿病を対象とした事業を推進している。このほか環境省は、ＳＩＢなどを活用して地域の屋根置き太陽光発電&蓄電池システムの普及促進事業に取り組み始めている。このようにＳＩＢは、地域コミュニティーにおける様々な社会価値創出において、有効活用できる可能性を秘めている。もっとも、ＳＩＢは日本国内ではまだ広がり始めたばかりで、事業成果の客観的な算定手法などについては制度的な課題も残されている。ではあるが、次世代コミュニティーの形成に向け民間のより密接な参画を引き出すための糸口として、今後発展が大いに注目される。

以上述べてきたように、行政主導型での次世代コミュニティー形成は分かりやすいアプローチの１つである。ただし、人も限られ、資金不足も深刻だ。実行のためには、データとお金の流れの再設計を通じて、民間企業や住民の参画をいかに引き出せるかが重要となる。

◆②個人主導型：地方・郊外への人口移動を契機としたコミュニティー形成

新型コロナは、ニューノーマルの生活様式として、リモートワークを社会的に広げた。その結果、起こっているのは大都市部と地方部における人口動態の変化だ。これまで東京一極集中として、人口減少局面にもかかわらず東京都の人口は継続的に増加していた。政府によるＵターンや

Iターンなどの推進に向けた各種施策が打たれてきたが、それでも東京都への転入超過の状況が続いてきたのだ。しかし、これがコロナショックで変化した。総務省の「住民基本台帳人口移動報告」によれば、2020年後半の東京都は転出超過が続いていて、2020年10月の転出者数は3万人を超える水準となった。

これら転出者の多くが向かう先として目立つのは、大都市圏近郊の地方都市だ。例えば長野県軽井沢町の人口は、新型コロナ感染拡大後の2020年5月以降、急に増加して同年10月までの数カ月で200世帯・400人以上の増加が見られた。実際にはこのように完全に居住の場を移すだけではなく、もともとの大都市圏にも家を持ちながらの二地域居住の場合もあるであろうから、実際にはさらに多くの移動があると読み取るべきだろう。

また、個別事情は百人百様なのは承知の上でまとめると、このような転出・複数地域居住をしている層には、いくつかの共通的傾向がありそうだ。まずは自身としてリモートワークしやすい裁量を有していること。例えば、企業における経営層や、いわゆるクリエーティブクラスと言われる職種ではその裁量が大きく、居住自由度が高い。懐事情としては、富裕層とまではいかなくともある程度の余裕がある層も多いだろう。

▼集まってきた人材を生かす

こうした動向を次世代コミュニティー形成の観点から捉えると、転入してきた人材はかけがえのない財産であり、大きなポテンシャルを秘める。それは単にコミュニティーへの余剰資金の投資という観点からだけではなく、当該人材が持つ能力やネットワークという無形資産の観点からも、重要なドライバーになる。個人にとってみれば、従来は住む場所を仕事の都合で選ぶことが多かっただろうが、今回の転出・転入の傾向は好きな場所を選んで住むといったことへの転換である。従って、自由時間も増える中で、好きな場所をよりよくするために自身の経験・能力を生かして何かしらの貢献をしてきたいと思うことも多いはずだ。趣味や仕事に加えて、コミュニティーへの貢献が自己実現の一環ともなり得る。

つまり、個人主導型のコミュニティー形成は、単に大都市圏からの転入人口増による税収効果や経済効果の獲得という、乾いた数字だけの話ではない。地域を選んでくれた人材がその能力・経験を持って主体的に地域貢献に取り組んでいく契機ともなる。そこで必要になるのは、有形無形を含めた人的資産をどのように地域貢献・運営に結びつけていくかの仕組みだろう。そのような仕組みは、徐々に登場してきている。

まず近年、日本各地で改めて地域通貨に関する取り組みが広がっている。従来、地域通貨は偽造防止といった安全管理コストなどが導入課題となっていたが、ブロックチェーンに代表される暗号化技術の進化が実現を後押ししている。自由時間を地域貢献に投入した住民に対して地域通貨を発行することで、そのインセンティブとすることもできる。

例えば、ブロックチェーン関連のスタートアップであるソーシャルアクションカンパニーは、一人ひとりの社会貢献活動を可視化するサービスとして「ａｃｔｃｏｉｎ（アクトコイン）」を手掛けている。これはボランティア活動への参加といった社会貢献活動を行ったユーザーに独自トークン（仮想通貨）を配布するＷｅｂサービスであり、いくつかの地域でプロジェクトが進められている。これは直接的に地域貢献へのインセンティブになるのみでなく、同サービスを通じて社会貢献活動に参加したユーザーの活動履歴を可視化することになる。それにより、ユーザー間の新たなネットワークとして創発の場にもなっている。このようなサービスの発展によって、個々人の力をより大きな力へとつなげていける可能性が出てきている。

▼住民の参画を促す仕組みを整備へ

また、よりコミュニティー運営への参画を促すためには、コミュニティーへの出資の在り方を考えることも有用だろう。例えば、地域管理組合のようなものをつくり、そこに住民自らが出資することでコミュニティー運営や社会基盤の維持に向けた能動的なコミットメントを引き出すというやり方だ。従来からの選挙権行使や納税といった制度以上に、より直接的に個人の資産と地域価値とを結びつけられると考えられる。これはある意味でマンションにおける管理組合費や、神社の立て直しに向けた寄付金などの仕組みを発展させた形態とも見ることができる。

実は、このような住民参加を促す仕組みづくりに当たっては、ドイツの先例からその学びを得ることができる。ドイツには以前から「シュタットベルケ」という地域公共サービスを担う民間主体の組織がある。英訳で「City Works」を意味するシュタットベルケは、その名の通り、地域に密着したサービスを担う組織体であり、自治体や民間企業の出資で構成される。一般的には地域におけるエネルギー供給事業（電気、ガス、地域熱供給など）と公共サービス事業（上下水道、公共交通、廃棄物処理など）を担っている。また、最近では地域の所得や雇用の増加、さらに地域における自然エネルギーの最大活用のためにエネルギー自治の考え方が重視され、「エネルギー協同組合」という形態も増えてきている。これはシュタットベルケと類似した組織体だが、その最大の特徴は、自治体や企業からの出資に加えて、市民の出資比率が高い点だ。そして出資額に関係なく、1人1票で組織としての議決がなされることにある。つまり、住民がより能動的に地域コミュニティーの運営にコミットできる仕組みとなっている（**図2-10**）。

また、このような仕組みは「シビックテック」と結びついて、より大きなムーブメントを創り出せる可能性がある。シビックテックとは市民自身が、テクノロジーを活用して行政サービスの問題や社会課題を解決する取り組みを意味する。もともとは米国で2009年に設立された「コード・フォー・アメリカ」が推進したもので、主には全米からITエンジニアを集めることで、政府・行政の課題解決をデジタルに支援するものであった。

日本におけるシビックテックはそれとは対照的に、「市民」の課題を、草の根的に解決することを志向した取り組みが目立つのが特徴だろう。日本では「Code for Japan」という団体が立ち上がり、「Code for X（Xは地域名）」という各地の活動を支援している。例えば「Code for Kanazawa」は、市民視点でごみ回収・分別を分かりやすくするアプリケーションを開発した。このように、住民視点からの課題を住民（やその地域に愛着を持つ外部の住民）自らが解決し、地域コミュニティーに実装していく流れは、今後ますます増えていくはずだ。

以上述べてきたように、住民参画の仕組みをコミュニティー運営に取り込んでいくことによって、地域のインフ

図2-10　シュタットベルケとエネルギー協同組合

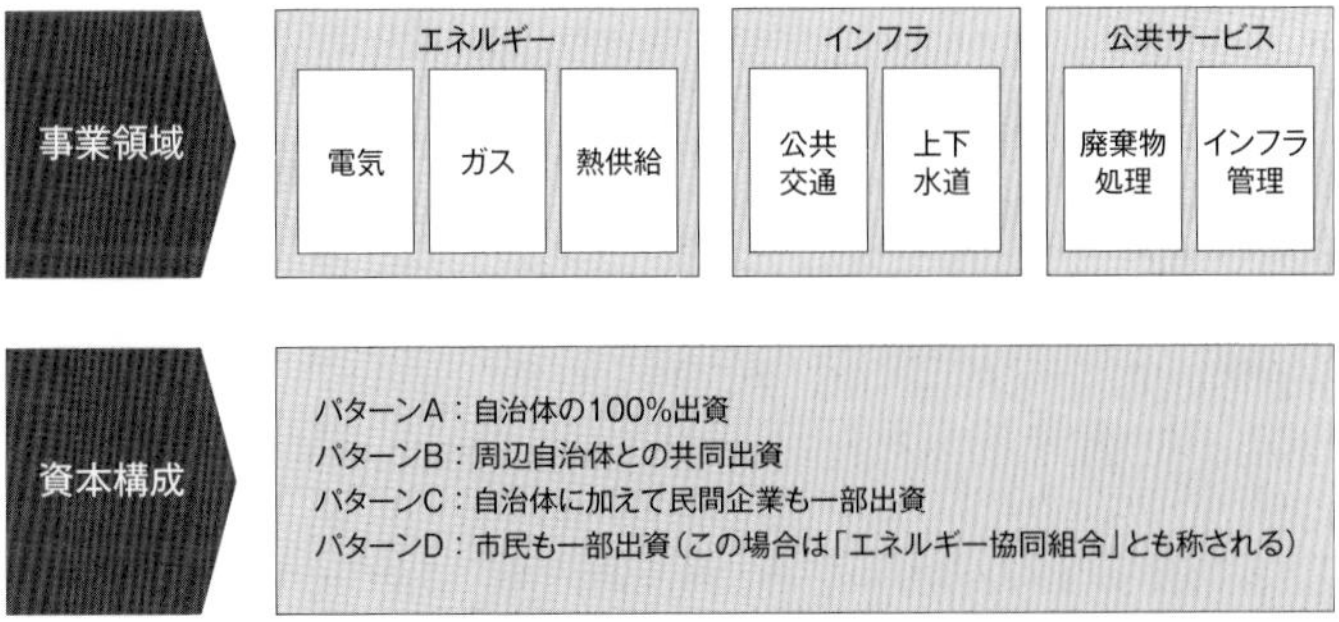

出典：ADL

ラを未来に向けて維持していける可能性が開けてきている。それこそが、次世代コミュニティーにおけるタウンマネジメントの在り方かもしれない。このような仕組みを構築していくことで、コロナショックを機に進む人口動態変化をきっかけとして、個人主導での次世代コミュニティー形成を進めていける可能性がある。個人からの出資も、その際の大きな力になるだろう。

◆③企業主導型：グローバル企業の街づくり参入などを通じた社会資本投資

2020年1月に開催された米国のデジタル見本市「CES」においてトヨタ自動車は、静岡県裾野市におけるコネクテッドシティーの開発計画を発表した。「Woven City（ウーブン・シティ）」と命名されたこの街は、2021年2月に着工。また、NTTグループやソフトバンクなどといった名だたるサービス企業も街づくり関連領域への展開を進めている。例えば、ソフトバンクグループによる本社移転を契機とした東京・竹芝地区の開発は有名だ。このような企業主導型の動きも、次世代コミュニティーの形成パターンの1つだ。

▼企業が街づくりへと向かう理由

では、なぜ企業が、このようなコミュニティーへの投資・貢献を進めているのだろうか。そこにはいくつかの理由・意義が存在する（**図2-11**）。

1点目の意義は、「イノベーション創出のプラットフォーム」としてのコミュニティーだ。トヨタ自動車によるウーブン・シティもその目的として「実証都市」という表現をしている。また、ソフトバンクグループによる竹芝の開発は、国家戦略特別区域として認定を受けたエリアで東急不動産と共同で取り組んでいるもの。こちらも同社グループの「最先端技術を活用した様々な実証実験」といった位置づけだ。

なぜ今、イノベーションのために街が重要なのか。それはイノベーションのメカニズムが時代とともに大きく変わっているからだ。古くは研究室（ラボ）の中での技術開発が多くのイノベーションを生み出していたが、技術の成熟とともに、ここ10年くらいは実際の顧客（顧客企業）とともに研究開発を進める「顧客協創」がイノベーションの手法として大き

図2-11　企業が次世代コミュニティー形成に取り組む意義

企業にとっての意義	なぜ重要なのか	例示
イノベーション創出のプラットフォーム	• 社会課題起点での協創型イノベーションの実現	• 実際の街をテストベッドとしたイノベーション活動（「ウーブン・シティ」など）
ESG投資の象徴	• アフターコロナ時代に向けたレジリエント&サステナブルな地域社会への貢献	• 地域単位でのサーキュラーエコノミーの確立（産業共生）
新たなビジネスフロンティア	• 限界を迎えつつあるグローバル資本主義の中での、既存のコア事業とは異なる新たな領域における事業の育成	• コミュニティー形成・参画を通じた、タウンマネジメント・サービスフィーの確保など

出典：ADL

な注目を集めた。しかし、特定顧客とだけ協創しても解決できない課題がある。社会課題だ。社会課題は複数の事象が絡み合った複雑系から生まれ、その課題認識も関係者ごとに捉え方が異なり、また特定の技術だけで解決が図れるわけではない。そこで、実際の街をラボとして、そこで課題を感じている当事者や関連技術を持つパートナーを巻き込みながら、イノベーションに取り組むといった流れになっている。そこでは社会全体のデジタル化が進む中で、実際に現場の生データを取りながら、実証サイクルを回していくことも重要になる。イノベーションには、こうした時代に応じたメカニズムの変化があり、「イノベーション創出のプラットフォーム」としてのコミュニティーは今日、企業においてますます重要になっている。

2点目の意義は、「ESG投資の象徴」としてのコミュニティーだ。特に日本企業は古くから、社会の公器としての役割を担ってきた。その象徴例はいわゆる企業城下町だ。地域の雇用を生み出すことに加え、公共だけでは担えない地域インフラへの投資や運営に関わってきたケースもある。例えば、トヨタ自動車自身は中部国際空港に出資もしており、また同空港歴代社長に人材を輩出することで、空港運営にトヨタ流の経営哲学を注ぎ込んできた。同空港の発展でトヨタ自動車自身も恩恵があるが、地域全体としてのメリットも大きい。

このように、地域社会の発展に貢献する企業行動は従来からあったが、ESGが株価などの企業価値を大きく左右することになった今の時代においては、そのような貢献がますます重要になる。ポストコロナ時代に向けたレジリエント&サステナブルな地域社会、コミュニティーの形成に当たって、そこにはより多くの貢献余地も生まれてくる。

また、環境価値の重要性が高まる中では、地域における複数産業・企業間の協調も一層重要になっていく。「産業共生」という考え方だ。これは、地域の中で資源の最適循環ができるように、立地企業同士および地域との間で循環系を創り出していく取り組みとも言える。いわゆる「サーキュラーエコノミー」であり、このような事例は欧州中心に増えつつある。例えば、スウェーデンのノーショーピング市は産業共生ネットワークによる循環経済の創出に取り組んでいる。同市では、自治体組織、エネルギー会社、ガス会社、農業企業などが連携して互いにバイオマスなどのリソースを交換している。このように複数産業が連携し、地域を単位にエネルギーとマテリアルの総合的な循環の流れを構築していくことで、関係企業全体としてのESG価値を乗数的に高めていくことも可能となる。

3点目の企業にとってのコミュニティーの意義とは、ポストグローバル資本主義のパラダイムを見据えた話であり、「新たなビジネスフロンティア」ということだ。詳しくは後述するが、グローバル資本主義が限界を迎えつつある中で、企業ではこれまでのようにグローバル経済成長に伴った成長は困難になってきており、海外市場の獲得だけではない事業ポートフォリオを築いていく必要がある。つまり、既存のコア事業（例えば製造業においてはグローバルにスケールすることを目指した事業）とは異なる、新たな事業を育成することが求められてくる。例えば、次世代コミュニティーを形成し、そこで住民向けサービスを展開することで、タウンマネジメント・サービスフィーのような形で長く安定的に対価を獲得するようなモデルはその一例だろう。そしてそのために、コミュニティーへの企業参画が重要となっていく。

このように企業にとって次世代のコミュニティーには、「イノベーション創出のプラットフォーム」「ＥＳＧ投資の象徴」「新たなビジネスフロンティア」といった意義があり、企業主導での次世代コミュニティー形成に向けた取り組みは今後も増えていくだろう。

▼企業主導における落とし穴とは

ただし、企業主導は必ずしもうまくいくわけではない。企業主導型の次世代コミュニティー形成については、企業による都市開発として耳目を集めた米グーグルの親会社である米アルファベット傘下のサイドウォーク・ラボによる、カナダ・トロントでのスマートシティー開発についても述べておく必要がある。２０１７年から進められてきたこの取り組みは、データや通信、自動運転車などを活用した未来の都市づくりを目指すものだった。しかし、新型コロナが猛威を振るう２０２０年5月にそのプロジェクトの実質停止が発表された。

表立った理由としては、新型コロナの影響による不動産市場における経済的な不安定性の高まりなどが挙げられていた。しかしながら、実際の理由としてはデータ利活用に対して住民からの反発が強く、訴訟問題にまで発展していたこともあるだろう。もともとサイドウォーク・ラボは、自治体からの開発計画支援対価や開発利益分配、不動産運営・管理などから収入を得る一般的な不動産開発型のビジネスモデルに加えて、各主体からのプラットフォームやデータの利用料による収益化を計画していた（**図2-12**）。詳細は明らかにはなっていないが、住民ひいては行政にとっては、このデータの部分が大きな疑念になったともみられる。プライバシー保護やデータセキュリティーの確保などは非常にセンシティブな課題だ。

サイドウォーク・ラボが目指したのは利便性の高い未来型都市であり、それは住民にとっ

図2-12　サイドウォーク・ラボのビジネスモデル構想

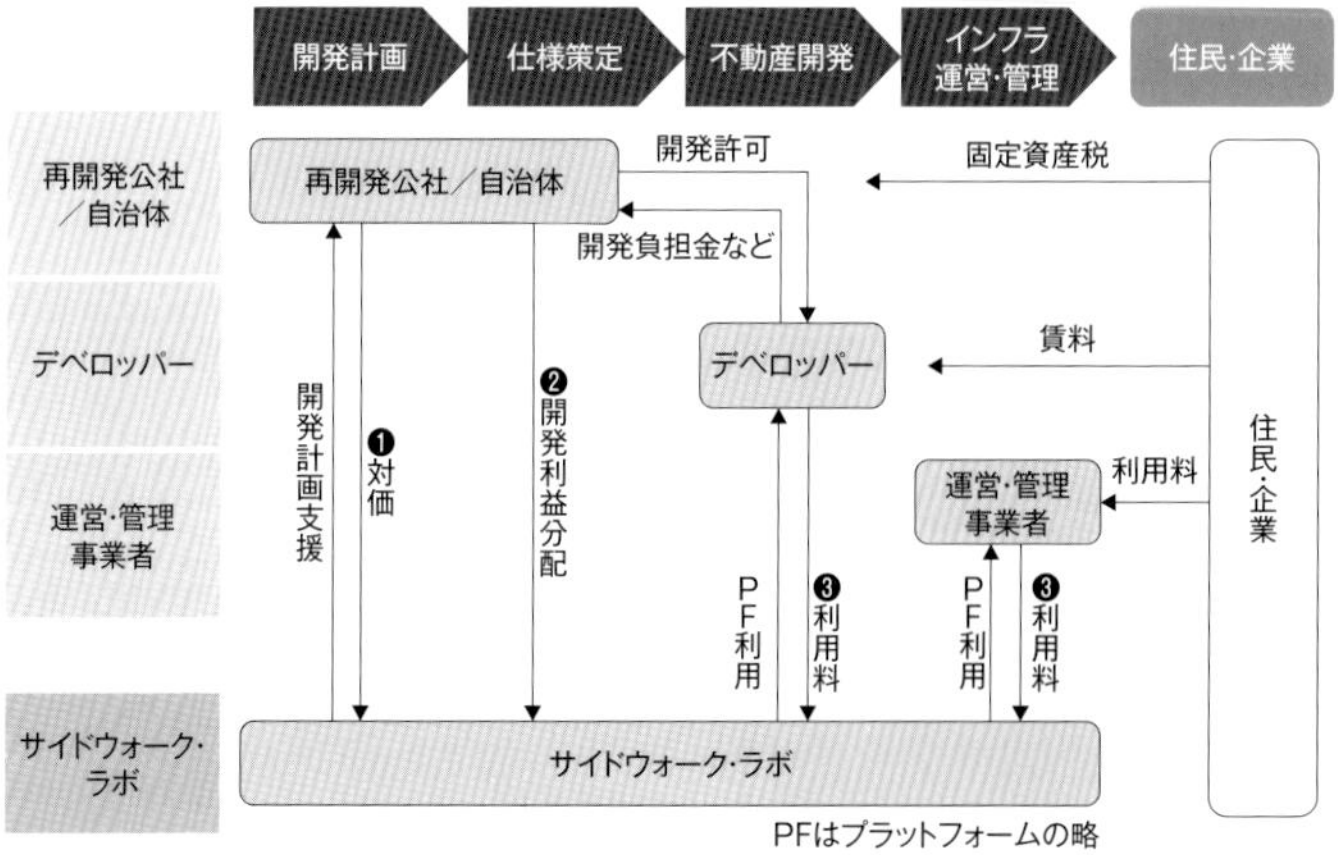

出典：ADL

てもメリットだ。また、恐らくはデータ活用企業として、サイドウォーク・ラボはデータの取り扱い（データセキュリティーやプライバシー保護などを含め）には最大限に配慮した計画だったはずだ。しかし、企業と住民との断絶は埋まらなかった。

こうした点は次世代コミュニティー形成に取り組むあらゆる企業にとっても、他山の石とすべきだろう。例えば、日本政府は「ソサエティ5・0」の旗印の下で「データ・フリー・フロー・ウィズ・トラスト（DFFT）」という概念を提唱してきた。そのポイントは「自由で開かれたデータ流通」と「データの安心・安全」だ。これは必要条件であることは間違いないが、サイドウォーク・ラボの事例は、より一層の配慮などがなければ本当の意味でのトラストは築けないということも意味している。

ここからの最大の学びは、企業主導の次世代コミュニティー形成においては、「企業としてそのコミュニティーの未来に対する社会的責任を担うこと」こそが十分条件であるということではないか。言い換えれば、コミュニティーを未来にわたって維持・発展していくことへの責任をコミュニティーと共に持つということだ。単に、コミュニティーを最先端のテストベッドとするだけでは地域はついてこない。「コミュニティーを支えてあげるから（自らの利益のために）対価としてデータを使わせろ」という収奪的な姿勢がうかがい知れた途端に、コミュニティー形成は進まず、そこからの関係性修復は不可能になるだろう。

▼データと地域文化づくりが重要

こうしたコミュニティーへの責任という意味においては、近年のスマートシティー論には危うさもある。単に先進性・利便性というパラメーターのみでは、住民はどのコミュニティーに所属しても同じことであり、それではコミュニティーを主体的に育てていくという構図にはならない。また、全体としての合理性のみを追求するのでは、住民を含めたあらゆる主体が、コミュニティーという大きなシステムに取り込まれ従属するだけの構図ともなる。SF的なホラーストーリーに聞こえるかもしれないが、中国で進む信用スコアなどは既にそのような社会システムになっているとも言えるし、サイドウォーク・ラボによるトロント開発で住民が感じた懸念・不安も、先進性・利便性を通じて、自分たちの生活（を通じたデータの価値）が収奪されるかもしれないということだったのかもしれない。つまり、いわゆるスマートシティーとして、個人情報に十分に配慮しながらデータドリブンで最適化を実現していくようなアプローチは重要なのだが、それだけに偏重してしまっては、社会的共通資本としてのコミュニティーは育まれない。それに対するカウンターバランスが重要なのであり、特に企業主導型のコミュニティー形成においては、この点に十分に留意する必要がある。

データドリブンに対するカウンターバランスとしては、いわば情理ともいえる「コミュニティーとしての文化」づくりが重要になるだろう。文化とは一方的に享受するものではなく、自ら形成していくものでもある。また、特定の主体だけがその創造を担えるものではなく、集団として担っていくべきものだ。つまり、コミュニティーに関する主体としての行政・企業・個人とが連携し、そのコミュニティーへの帰属意識と参画意識を持ち、自分たちらしさを発見して形づくっていくといったプロセスでもある。そのためにも、誰かが旗を振りながら、互いに従来の枠を超えて連携し合うことが重要となるのだ。

技術や経営力を有する企業主導による次世代コミュニティー形成が持つポテンシャルは、非常に強力だ。既に、名だたる大企業が街づくり関連分野への展開を開始してもいる。ただ、その成功のためには、企業価値と当該コミュニティーとしての社会価値とが両立され、かつ、それを誰しもが評価できるようにする仕組みが必要である。この点においては前述したSIBのような仕組みは1つの可能性となるだろう。またコミュニティーからの収奪的な姿勢ではなく、共存共栄として未来の利益が還元される仕組みによって、社会価値と企業価値の統合を目指していくことが求められている。こうして行政や住民を巻き込みながら、コミュニティー形成を進めていくことが必要となる。

◆企業からの社会資本投資が大きな変革ドライバーに

ここまで述べてきたように、これからの社会資本整備の推進に当たっては、行政主導だけでなく、個人主導、企業主導のいずれの可能性もあり得る。中でも、企業主導の社会資本整備は従来にない可能性を持つ。特に以前から地域における社会インフラを担ってきた企業（鉄道やエネルギーなど）だけでなく、前述したような自動車会社、通信会社といった大手グローバル企業がもたらす可能性は大きい。こうしたグローバル企業がコミュニティー形成の主役としての最有力候補といえるだろう。そこで展開されるローカルソリューションビジネス自体が、企業にとって将来を支える事業フロンティアになるということもある。

それでは以下で、こうしたグローバル企業が地域コミュニティーにもたらすことができる資源について、ヒト・モノ・カネの観点から見てみよう。

まずモノの観点だが、ここまでいくつか例示したように、昨今は企業が地域社会を支えるためのソリューションを数多く有している。一方で各地域には従来からエネルギーやモビリティーなどのインフラを担ってきた地域ごとのプレーヤーが存在する。グローバル企業はそうしたプレーヤーに対して、外部からの企業参画として、従来の枠組みにとらわれないインフラソリューションを提供する役割を担うことができる。例えば、地域交通に対してオンデマンドサービスを導入したり、地域電力に対してエネルギーマネジメントを導入したりと、地域だけでは実現できなかったソリューションを地域と一体となって構築していくことができるようになる。

次に、カネの観点だが、日本全体としての人口減・高齢化の中で多くの自治体が財政難に苦しんでおり、また、従来型の地域インフラ企業も同様である。いずれも地域に近い存在でありながら、自前では未来に向けた変革への投資余力がないということが多い。そこに対して、地域の外部から持ち込める投資は、次世代コミュニティー形成に向けた貴重な原資となる。特にグローバル企業が世界で稼いだお金を地域に投資できるとすれば、そのインパクトは大きい。このような外からの原資があれば、行政主導型のコミュニティー形成などのきっかけにもなるだろう。

最後に、企業が持ち込めるものはモノやカネだけではない。人材の吸引力も企業が有する大きな特徴だ。企業が主導したコミュニティーとしての先進性は、周辺地域からの移住に対する吸引力にもなり、そこから個人主導型のコミュニティー形成にも進み得る。また、グローバル企業としてコミュニティー形成・運営まで担うとなれば、当該企業の社員の移住も想定され、そこには経済力や企画運営力などを有する人材も含まれるであろう。現に、トヨタ自動車によるウーブン・シティにおいては、既に「約3600の法人・個人がこの実証都市に協力を申し出ている」とされる。またウーブン・シティでは、第1移住者の想定層として「発明家、高齢者、家族持ち世帯」と表現されている。先端×実証というコンセプトゆえに、想定層に「発明家」というキーワードが躍るのも納得だ。

こうした次世代コミュニティーの形成に向けては、誰かが最初の旗を振りつつも、関係者それぞれが互いに枠を超えて混ざり合っていくという考え方が根底としては重要になる。とはいえ、最初の突破力として企業がもたらせる力は大きいことは確か。今後は、行政や従来型のインフラ企業だけではなく、自動車会社や通信会社のようなグローバル企業がより積極的に社会インフラに投資し、コミュニティー形成や運用を担っていく。そうした時代を見据え、そのために必要な制度を設計していくことが、日本にとっては必要となってくる。そして、その最大のポイントは基本となる「街」、つまり基本単位となるコミュニティーの設計にあると考えられるのである。

新たなローカルコミュニティーがつくる未来の日本

基礎自治体の単位から街の単位へ

従来はコミュニティーについて議論する際、基本となる単位として基礎自治体（市町村）を前提にすることが一般的だった。例えば、日本では都市計画マスタープランという概念があるが、これは1992年の都市計画法改正にて「市町村の都市計画に関する基本的な方針」として規定されている。つまり、市町村がその単位となっている。行政主導でのコミュニティー形成が主であった時代においては、これは自然な姿だったとも言える。

しかし、これからグローバル企業からもコミュニティー形成に向けた投資などを積極的に呼び込んでいこうということであれば、コミュニティーを捉える単位も変えていかねばならないだろう。中核たる企業が担える範囲は必然的に、従来の基礎自治体よりも小さい範囲となることもある。例えば、前述したトヨタのウーブン・シティは静岡県裾野市におけるトヨタ自動車東日本東富士工場の跡地が開発地域である。将来的には2000人以上の住民が暮らすことが想定されていて、世帯数換算すれば1000世帯以上といったイメージとなるだろう。また、メーカー主導によるコミュニティー形成の先行例としては、神奈川県藤沢市との共同事業となったパナソニックの「Fujisawaサスティナブル・スマートタウン」があるが、その範囲も元をたどればパナソニック工場跡地に造成されたものであり、こちらも1000世帯ほどの規模感である。つまり「街」という表現がしっくりくる規模の数千世帯というのが、企業主導型のコミュニティー形成としても成り立ちやすい。いずれにしても、それは既存の基礎自治体よりはだいぶ小さい規模になると認識すべきだろう。

換言すれば、従来の基礎自治体を単位とした社会構造から、企業を巻き込んだ「街＝コミュニティー」を重視した社会構造への転換が必要となる。これまで、平成の市町村大合併などによって基礎自治体の単位は広がってきた。結果として行政業務の効率は高まったかもしれないが、各自治体の中には人口密度や地理・環境的条件、産業集積などといった諸事情が大きく異なる地域が混在している。そうした中でも行政観点からすれば、すべてを均質的に支援するという姿勢に傾斜しがちであったといえる。結果的に、都市中心部から郊外へ無秩序・無計画に開発が拡散するスプロール現象を招いてしまったり、また、総人口が多いにもかかわらず、その中で人口密度の低いエリアにおいては商業圏が成り立たなくなりシャッター商店街が生じてしまったりと、様々な問題を生じていた。

こうした中で基礎自治体も今後は、自治体内において企業投資を呼び込んで集中開発するエリアを定めるなど、ハブ・アンド・スポーク的な構造へと転換していくべきではないだろうか（**図2-13**）。結果的に、日本全体として「大都市へ一極集中している社会」から「多様な多極が各地に分散している社会」が実現されるようにもなる。それこそが令和の時代に日本が目指すべき社会システムとも考えることができる。

図2-13　新たなローカルコミュニティーのイメージ

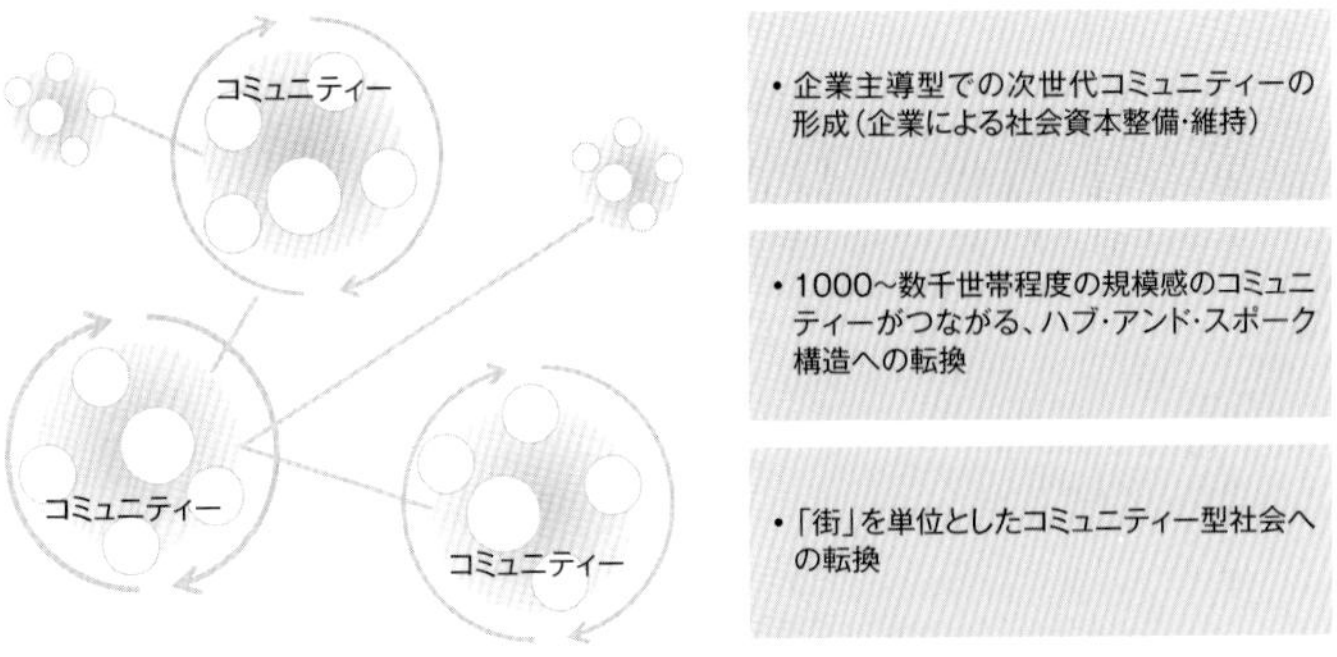
コミュニティー
コミュニティー
コミュニティー
• 企業主導型での次世代コミュニティーの形成（企業による社会資本整備・維持）
• 1000～数千世帯程度の規模感のコミュニティーがつながる、ハブ・アンド・スポーク構造への転換
• 「街」を単位としたコミュニティー型社会への転換

出典：ADL

◆行政によるサービスから企業によるサービスへ

企業主導型のコミュニティー形成においては、従来の行政サービスの主体・範囲も変わってくる。従来、行政サービスとは住民の暮らしのために、「税金」を用いて自治体が提供するサービスを意味していた。しかし、企業が主導する次世代コミュニティーにおいてはその担い手は行政とは限らない。例えば、ウーブン・シティではスマートホームを構築することで「冷蔵庫を自動で補充したり、ゴミを捨てたり、あるいは健康状態を自動でチェックしたりする」というコンセプトを掲げている。それを発展して捉えれば、企業が自動運転などを用いてごみ回収を担ったり、健康ポイント制度と各種健康サービスを組み合わせて福祉を担ったりするといった未来は想像しやすいだろう。

また、この際のサービス対価は住民からの税金などで回収せずとも、企業がタウンマネジメント・サービスフィーとして直接的に回収することも可能だろう。大規模マンションにおいて共益費や管理費を収集し、マンション全体の維持管理に活用していくことと本質的には同義である。

つまり、行政からしてみると、企業主導型の次世代コミュニティー形成とは、企業の経営資源をてこにして、社会資本を維持することにほかならない。これまでのように、工業団地を造って補助金で企業を誘致するのではなく、企業を社会システムの形成から運用、対価配分までの一連の段階で巻き込んでいくということだ。行政が担ってきた役割を企業と分担するというように捉えることもできるだろう。

こうしたことを企業側から見てみると、本業で稼いだ資金の一部や開発したソリューションなどを地域に投資することでコミュニティーを形成し、そこで従来の行政サービスの一部を担うことで長く安定した収益基盤を得ることを意味する。グローバルな成長機会が少なくなっていく中で、グローバル事業中心のポートフォリオから、グローバル事業とローカルソリューション事業を組み合わせたポートフォリオへと転換することにほかならない。また、経済価値に加えて社会価値を生み出す存在になっていくということでもある。こうした事業ポートフォリオの転換については、次章以降でより詳細に取り上げていく。

次世代コミュニティーの形成は、公的資金や住民個人など様々なステークホルダーを巻き込んだ息の長い活動が必要になる。このような中でいかに民間企業の技術とビジネス上の知恵と投資資金を活用していくかは、今後日本の社会全体としての大きなテーマとなってくるだろう。

企業主導型の次世代コミュニティーとは、行政と企業とが歩調を合わせてそれぞれの役割を転換し、市民を巻き込んでいくことで形成されるもの。ステークホルダー全員で社会資本を整備・維持していくこととも言えるだろう。そして、そのためには従来の基礎自治体の範囲や、行政サービスの範囲にとらわれない考え方が必要だ。大上段に構えれば、この国の仕組みの転換とも言える。

特に、平成になってから道州制についての議論が活発になってきたように、この令和の時代に国の仕組みについての議論が起こりつつある。令和の時代には、従来の行政・企業・個人の枠を超え、新たなコミュニティー形成に向けたソーシャル・トランスフォーメーション（ＳＸ）が進んでいくことになるだろう。

第 3 章

IX：グローバルから
ローカルソリューションへの産業重心シフト

2040年の日本の「産業」の姿……

思えば、日本の産業構造も大きく変わったものだ。今や日本のエレクトロニクス産業は、複数のコア事業を持つ総合系メーカーを中心に、ハードとソフトを併せ持つ世界的にもユニークな産業構造に進化した。産業全体を見渡しても、自動車一強型から連邦型の産業構造に変化している。さらに、国内における新たな成長産業として民間経済をけん引しているのが、郊外型のコミュニティー開発や、国内における社会インフラの再構築や公共サービスの民営受託などを柱とする、ローカルソリューション産業である。

戦後の高度経済成長期から一貫して日本企業の資金需要に応えてきた日本の銀行も、以前は自動車産業を中心とした製造業のグローバル展開向けの資金供給が大きなテーマだったが、この構造も変わった。こうした構造転換は2020年代以降、経済対策として世界的に加速した温暖化ガス排出量実質ゼロを目指す「カーボンニュートラル」のトレンドの中で加速した。各国でのEV（電気自動車）シフトが現実のものとなり、エンジン車を最大の強みとしてきた日本の自動車産業が逆風にさらされた。そこでは特に大きな影響を受けたエンジン系の部品メーカーに加え、米アップルなどの海外の異業種からの参入もあり、一部の中堅完成車メーカーを巻き込んだグローバルな産業再編が進んだ。それでも今、日本の自動車産業は他国と比して、しぶとく生き残っている。

一方で、2000年以降から20年近い構造改革期間を経て復活したエレクトロニクス産業とともに、機能素材・エネルギー産業においても、2020年代以降のグローバルなカーボンニュートラルの流れの中で、用途市場の分散化と既存プロセスチェーンの構造改革を同時並行で進めてきたことで産業構造転換が着実に進んだ。さらに安定成長が続くローカルソリューション産業は、以前はエネルギーや交通など内需型の社会インフラ企業が中心だったが、今やこうした企業に加えて、低成長が続くグローバル経済の中で新たな投資機会を探していたグローバル産業側の大手企業がコミュニティー開発に本格参入している。そこでは地元の地方銀行など含めた各金融機関も、ビジネスパートナーとして単なる資金の出し手以上の貢献をしている。産業構造的には、グローバル産業が日本のローカル産業に投資力と生産性向上をもたらした形であり、グローバル資本主義時代には外需依存が続いてきた日本経済において、新たな内需主導の安定成長エンジンが機能し始める状況になっている――。

転機を迎えたグローバル産業の生き残る道

前章では、新たなコミュニティー形成を起点としたSX（ソーシャル・トランスフォーメーション）の方向性を論じてきたが、これに呼応する形で、経済を支える「産業」の構造変革＝IX（インダストリアル・トランスフォーメーション）も必要になってくる。ではIXとして、どのような変革が求められるのかというのが、本章での論点である。

戦後の高度成長期から平成の30年間にわたるグローバル資本主義全盛期に、一貫して日本の国際収支を支えてきたのが、自動車産業などの製造業に代表されるグローバル産業であった。しかしながら、グローバル資本主義が終焉《しゅうえん》を迎えつつある中で、こうしたグローバル産業が世界のマクロ経済成長の波に乗って右肩上がりで成長できる時代もまた終わりつつある。

とはいえ当面の間は、グローバル産業が世界経済のけん引役であることは変わらない。その中で変革期にあるグローバル産業、特に成熟化しつつある製造業などの技術系産業の中でどのように勝ち残りを図っていくのかというのが、日本にとってはまず大きな論点となる。一方で、ホームグランドである日本国内を中心にカーボンニュートラルなど新たな社会的ニーズが拡大する中で、次のビジネスの種として、次世代コミュニティー形成などの「ローカルソリューション産業」

が勃興しつつある。こうした中で日本にとっては、既存の主力産業であるグローバル産業における勝ち残りと、次の成長産業としてのローカルソリューション産業の育成の2つが重要になる。つまり日本には産業レベルで、こうした性質の異なる2つの産業振興という「両利き」のマネジメントが求められているのだ。

◆グローバル資本主義の恩恵を受けてきた日本のモノづくり企業が岐路に

戦後の高度経済成長期から、失われた30年ともいえる平成時代も含めて、一貫して日本の経済成長をけん引してきたのは、自動車産業に代表されるグローバル型のモノづくり企業であった。1980年代に世界を席巻した家電や半導体を含めたエレクトロニクス産業は、1990年代から本格化した韓国・台湾などのアジア勢との競争激化や2000年のITバブル崩壊を境に、グローバルな競争力を低下させてしまった。しかし、特に1980年代後半~1990年代の超円高時代をしたたかに生き残った自動車産業や農機・建機などの機械産業、精密機器などの機電（メカトロニクス）系の組立製造業とそれらに関連する部品や素材、製造装置などの産業が、グローバル資本主義全盛となった平成の30年間も成長を続けた。こうしたことが、日本経済の生命線となってきた（**図3-1**）。

その成長の背景には、日本のグローバル型モノづくり企業が持つ高い「すり合わせ型」の製品開発・設計力や、トヨタ生産方式に代表されるような独自の仕組みでグローバル展開に成功した強い製造現場など、日本企業の持つ内発的な競争力の高さがあった。加えてもう1つの要因として、グローバル資本主義の拡大に伴う先進国におけるIT・金融産業などの新たな成長産業に従事する新富裕層の登場や、新興国の所得水準上昇に伴う日本企業から見た対象顧客の増加などによって、市場そのものが大きく拡大したことも挙げられる。ある意味、日本のグローバル型モノづくり企業は、このグローバル資本主義がもたらした世界的な経済成長、市場拡大にうまく乗って成長してきたともいえるのだ（**図3-2**）。

このような日本のグローバル型モノづくり企業の成長を支えてきたグローバル資本主義下に

図3-1　日本における業界別貿易収支推移

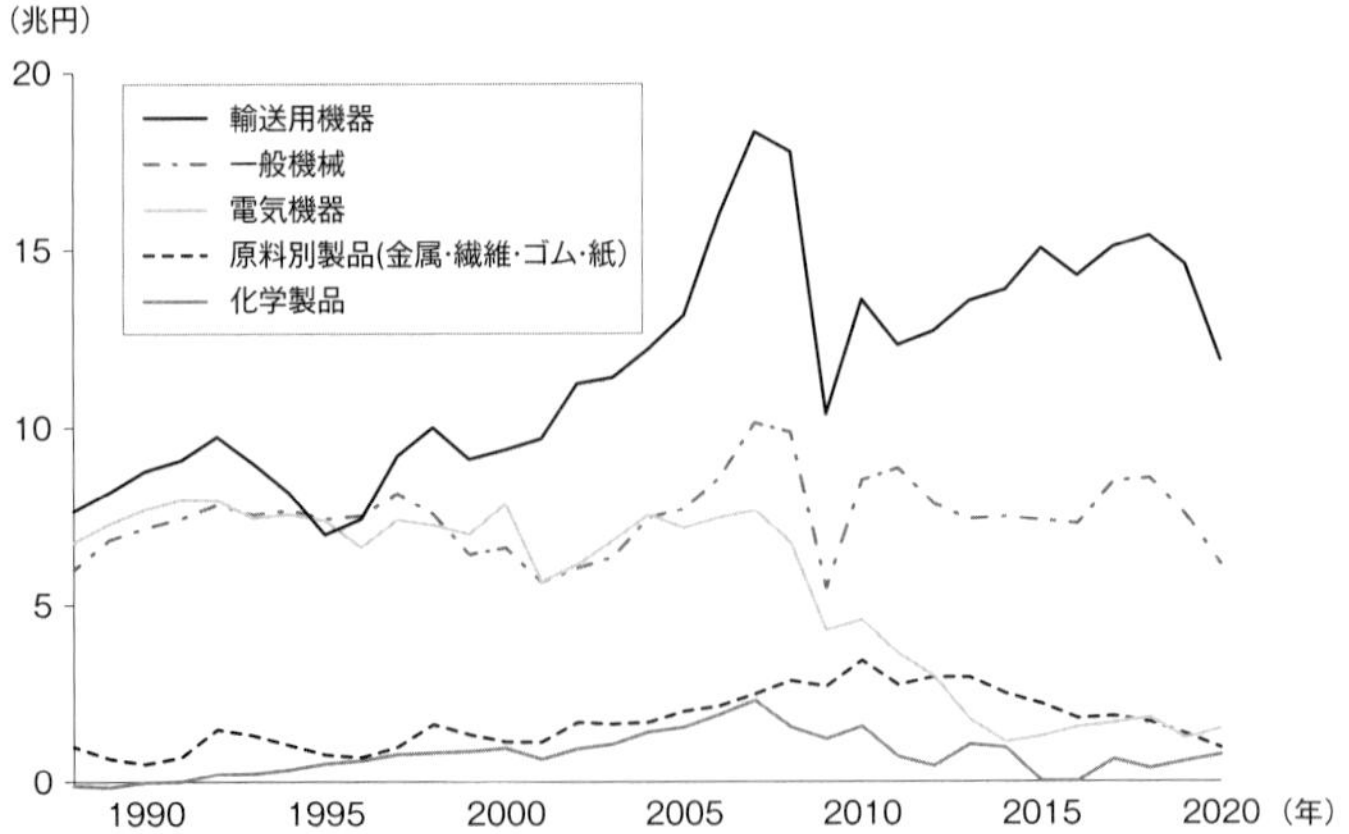

出典：貿易統計（財務省）

おける前提与件が、コロナショックの影響もあり大きく変化しようとしている。産業レベルで大きな影響を与えるものとしては、以下の3つの要素が挙げられる（図3-3）。

1. **コロナショックによるマクロな経済成長の鈍化（新興国経済の停滞）**
2. **市場環境・ニーズのフラグメント化（細分化）**
3. **技術的なメガトレンドの変化（デジタル化・カーボンニュートラル化）による市場自体の喪失**

「コロナショックによるマクロな経済成長の鈍化」については、リーマン・ショックとの比較が分かりやすい。リーマン・ショックの後は、先進国経済以上に新興国経済の回復の方が早くかつ力強かったため、結果として新興国経済の成長がその後の経済回復のドラ

図3-2　世界のGDP（国内総生産）と日本の自動車メーカーの販売台数

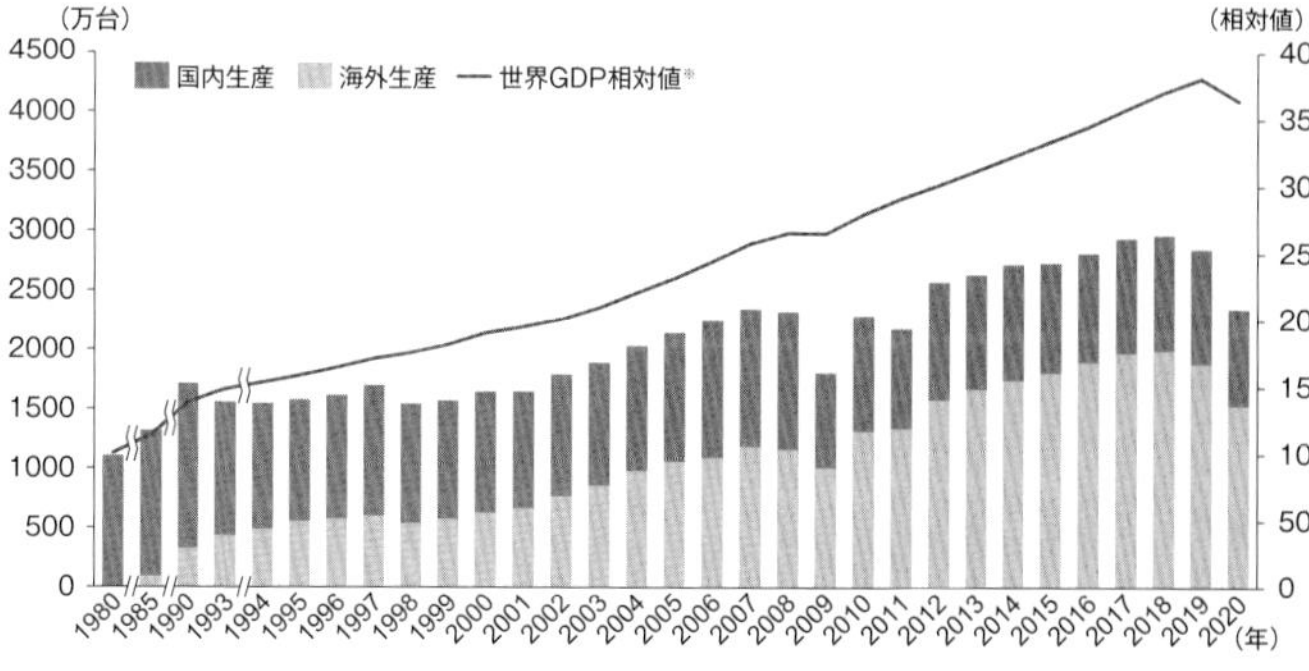

出典：日本自動車工業会、IMFデータよりADL作成　※1980年の世界GDPを100として試算

イバーになった（**図3-4**）。一方で、今回のコロナショック後の回復状況を見ると、多くの新興国では手薄な医療体制の下で新型コロナウイルスの抑え込みに期間を要したこともあり、中国やベトナム、タイなどいくつかの東南アジア諸国を除けば、先進国とほぼ変わらないペースでの回復にとどまりそうだ。これは、もともと中国、ロシア、ブラジルなど各国で労働人口比率が相対的に増える人口ボーナス期が終了し、いわゆる「中進国のわな」にはまり成長が鈍化しつつあったところに、コロナショックがさらなる追い打ちをかける構図になっているということである。グローバル型モノづくり企業から見ると、リーマン・ショック後のよ

図3-3　グローバル製造業における前提要件の変化

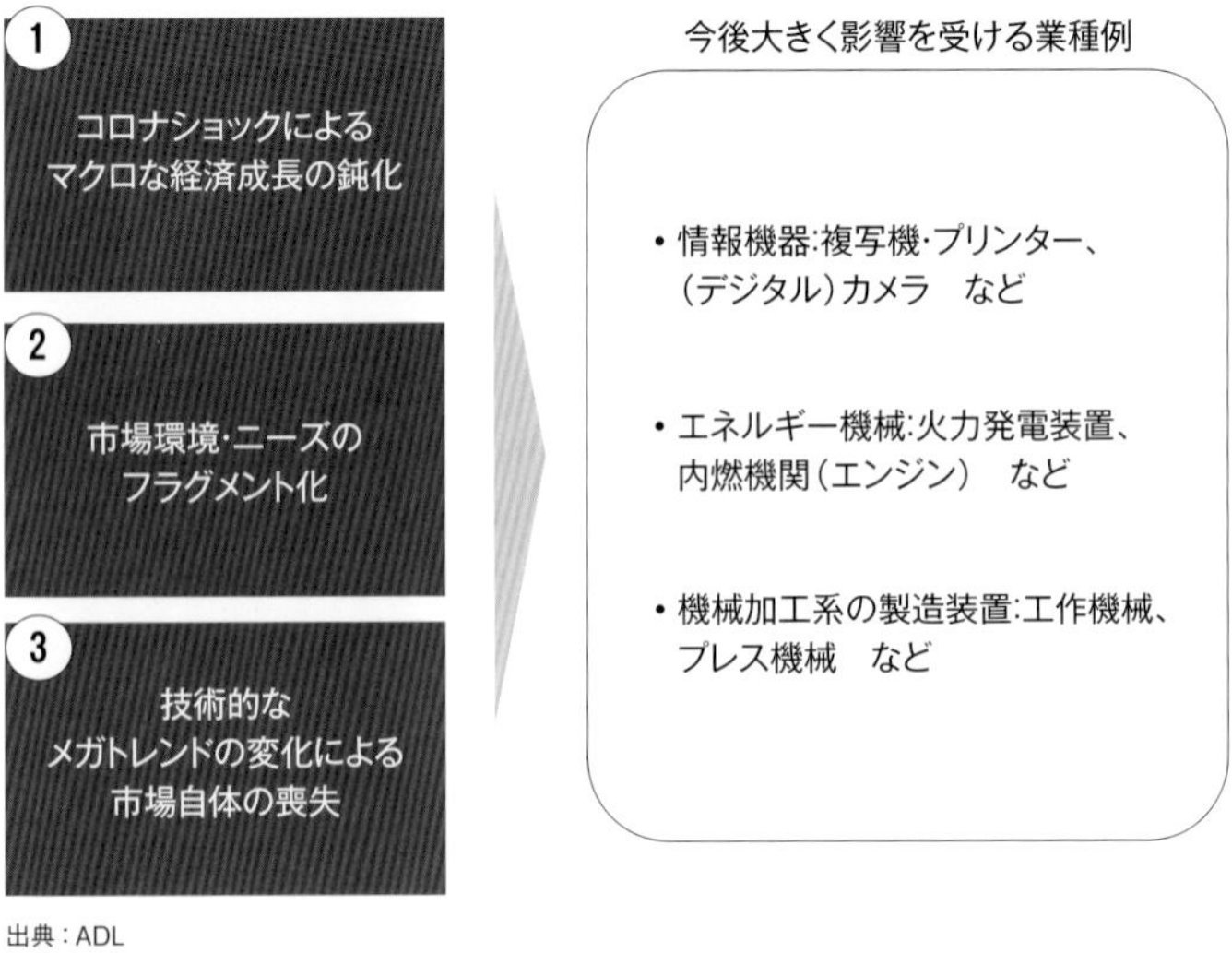
1
コロナショックによる
マクロな経済成長の鈍化
2
市場環境・ニーズの
フラグメント化
3
技術的な
メガトレンドの変化による
市場自体の喪失
今後大きく影響を受ける業種例
• 情報機器:複写機・プリンター、
(デジタル)カメラ　など
• エネルギー機械:火力発電装置、
内燃機関(エンジン)　など
• 機械加工系の製造装置:工作機械、
プレス機械　など

出典：ADL

うな新興国経済のマクロ成長による事業拡大が見込みづらくなっていることを示している。

　併せて「市場環境・ニーズのフラグメント化（細分化）」についても、もともと日本のメーカーが得意としてきた各市場ニーズの違いに応じたきめ細かなカスタム対応までであれば、むしろ複雑性を逆手に取って優位に展開することもできた。しかし、これに電動化のような各国の政策方針や規制による違い、さらに昨今の米中摩擦に代表されるような地政学的なリスクも含めたマクロな不確定要素が重なり合うことで、不確実性をマネージする難度の方が高くなっているというのが実情だろう。加えて「技術的なメガトレンドの変化」の視点で言えば、コロナショックからの回復局面で、こうした経済回復の起爆剤として期待されているカーボンニュートラル化やデジタル化の加速により、従

図3-4　リーマン・ショック時とコロナショックにおける各国のGDP（国内総生産）成長率の推移

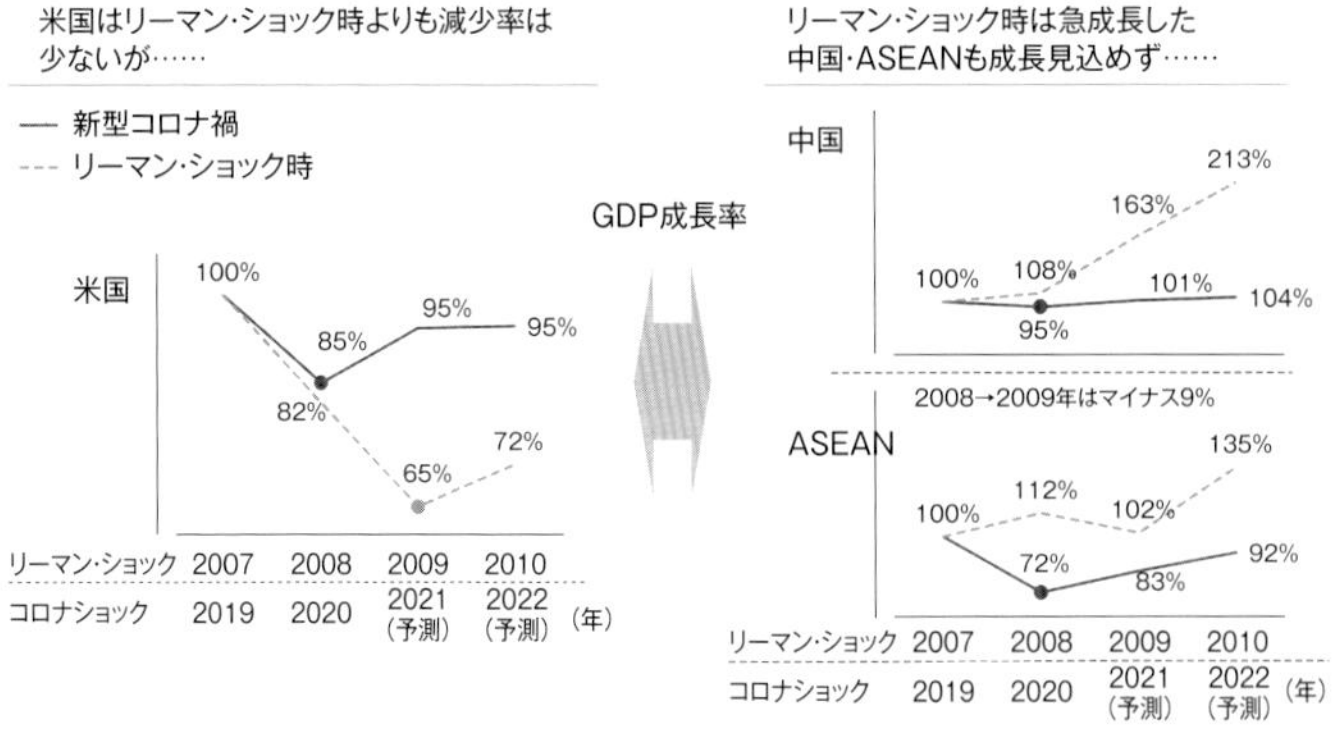

出典：IMS Markit Light Vehicle Sales（2021年1月時点）

来型の既存製品・技術が、不連続な市場の縮小・喪失に見舞われるというリスクも増している。その結果、日本企業が強みとしてきた産業・業種の中で特に大きな影響を受けるのは、

- **情報機器：複写機・プリンター、（デジタル）カメラ　など**
- **エネルギー機械：火力発電装置、内燃機関（エンジン）　など**
- **機械加工系の製造装置：工作機械、プレス機械　など**

あたりだろう。複写機やカメラのような、情報を入出力するためにハードウエアとしての「軽薄短小」化を追い求めてきた従来型の精密機器は、まさにデジタル化や新型コロナ禍でのリモートワーク化が加速する中で、いよいよ他のデジタル技術・サービスに代替されようとしている。また、化石燃料の利用を前提としたエネルギー機械も、カーボンニュートラルのうねりの中で、太陽光発電や風力発電など再生可能エネルギーベースの発電装置や電動パワートレインなどとの競合が激しくなった。生き残るためには、バイオ燃料や水素などの新たなカーボンニュートラルなエネルギー源の活用が求められるようになる。いずれにせよ新たな技術開発投資が必要となり、競争環境が大きく変化する。また、主には自動車産業のグローバル成長にけん引されて成長を続けてきた量産型の工作機械やプレス機械など機械加工のための製造装置についても、自動車の生産

台数（能力）が当面大きく伸びない中で、これまでのようなレベルで市場成長の果実を享受するのは難しくなるだろう。

◆国別シェアから見る日本の産業構造上の特徴

それでは、このような変化の中で、日本のグローバル企業が活路を見いだすとすれば、どのような領域になるのか。その領域を導き出す前提として、日本企業が現状で競争力を持ち得ているのがどのような産業・製品領域なのかを俯瞰《ふかん》してみたい。以下、NEDO（国立研究開発法人 新エネルギー・産業技術総合開発機構）が毎年公表しているリポート「日系企業のモノ、サービス及びソフトウエアの国際競争ポジションに関する情報収集」のデータを基に分析を行っていく。このリポートは、「モノ（ハードウエア）」領域と「ITサービス・ソフトウエア」領域の約1000品目において、日本・米国・欧州・中国・韓国・台湾の各国・地域の企業別シェアを毎年調査しているものだ。

この中からまずは、各国がシェアトップになっている品目がどの程度あるかを分析・比較してみる。まずモノ領域で2018年時点のデータで比較すると、**図3-5**のように品目数では日本が374品目とシェアトップとなっている品目が最多になっている。さらにシェアトップの品目の中でも、市場シェア100％で「独占」状態にある品目数（48品目）や他国との相対シェア（自国シェア／2位国シェア）が2以上の「寡占」状態にある品目数（２０７品目）でも他国を大きく引き離している。シェアトップの品目総数で日本に次ぐのが米国で２００品目、その後に欧州（１５５品目）、中国（１１４品目）、韓国（38品目）、台湾（29品目）となっている。ＮＥＤＯが実施している調査のため、セグメンテーション上、日本企業が強みのある領域が相対的に細かく定義され、結果として品目数が増えているといった側面は一部あるものの、そうであったとしても日本企業が世界シェアトップを持つ品目はモノの領域では他国と比してもまだ決して少なくないのだ。

一方で、各国・地域のシェアトップの品目を、対象市場規模の視点で比較してみると全く様相が異なってくる。国・地域別で見た対

図3-5　各国シェアトップ市場分析（ハードウエア）

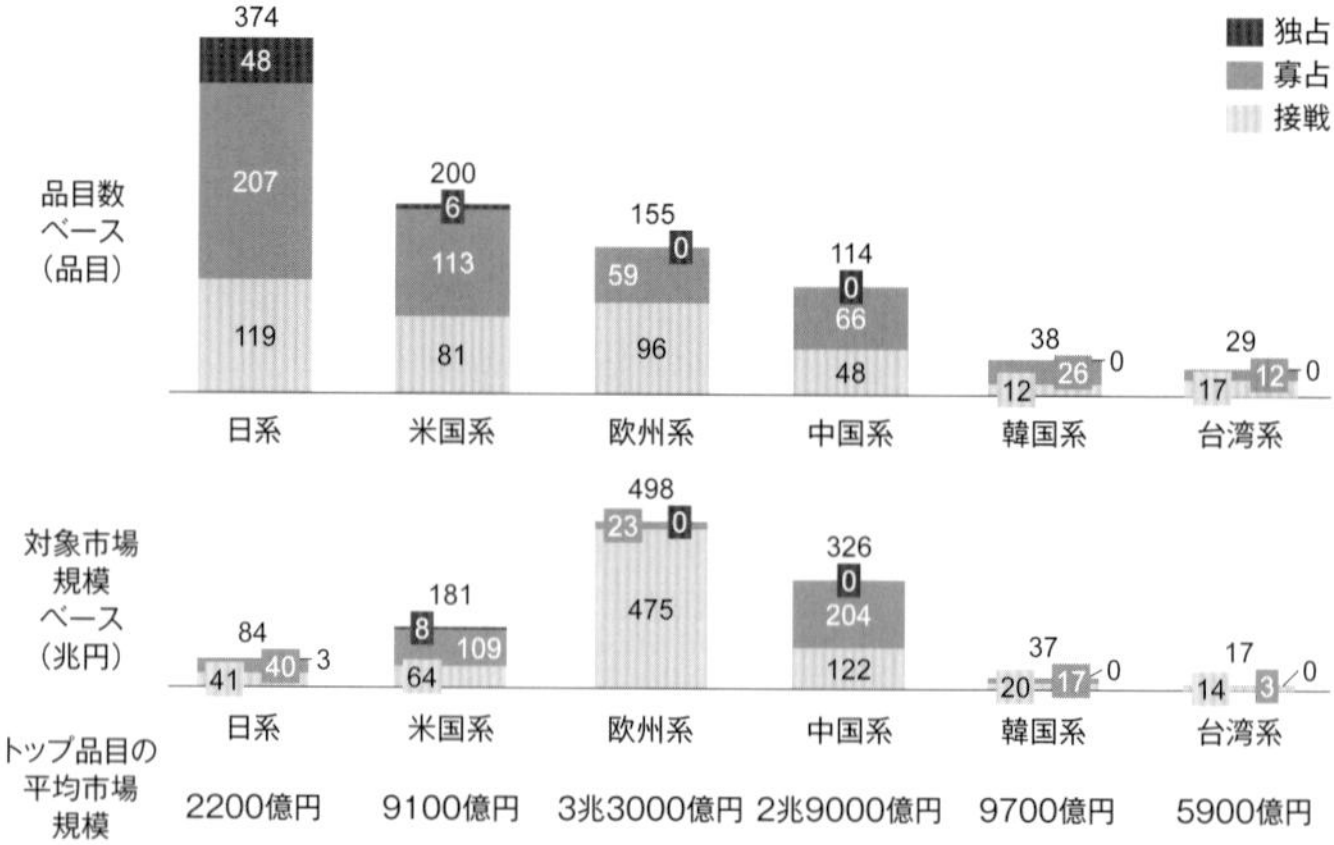

出典：NEDOリポートを基にADL分析

象市場の合計金額では、相対シェアで1以上2未満の「接戦」状態で、いくつかの大型市場でシェアトップを押さえている欧州（498兆円）が最大となり、次いで中国（326兆円）、米国（181兆円）で、日本は84兆円で4番手となる。これは、対象市場規模を品目数で割ったシェアトップ品目の平均市場規模で見れば一目瞭然で、欧州や中国は1品目当たり3兆円前後、米国や韓国は1兆円弱となるのに対して、日本は2200億円と極端に小さい。分かりやすいのが韓国との比較で、対象市場規模ベースで言えば、日本（84兆円）は、韓国（37兆円）より約2倍大きいものの、品目数で言えば日本（374品目）は韓国（38品目）の約10倍多い。つまりそれだけ、日本はニッチな市場セグメントでシェアトップを押さえているモノが多いと言えそうだ。

次に、ITサービス・ソフトウエアの領域ではどうか。同様にシェアトップ品目とその対象市場規模を国・地域別に比較したものが**図3-6**である。ここではイメージ通り、米国が品目数（55品目）、対象市場規模（260兆円）ともに圧倒的に優勢である。続くのは、品目数ベースでは欧州（12品目）となるが、対象市場規模では中国（34兆円）となる。ITサービス・ソフトウエア領域で日本がシェアトップなのは6品目・10兆円超にとどまり、ハードウエア側とは異なり、グローバルでの存在感は希薄なのが現状である。

では、実際に各国・地域がシェアトップを取っているのはどのような品目だろうか。その傾向を見ることで、各国・地域の産業構造の特徴が見えてくる。

まず日本のシェアトップのうち対象となる世界市場規模が大きいもの上位20品目のランキング（**図3-7**）を見てみると、ランキングトップ（対象市場規模が最大）となるのは、ITシステムの受託開発・構築（SI）市場で、10兆円超の世界市場の中で、日本がシェアトップを押さえている。これは、ITサービス・ソフトウエア分野の主要市場の中で日本がシェアトップを取っている唯一のセグメントでもあり、NEC、富士通、NTTグループなど大手システムインテグレーター（SIer）を頂点に多層的な業界構造が形成されている日本のSIer業界が世界的にもユニークな存在であることがうかがえる。

SI市場に続く対象市場規模となるのが、トヨタ自動車やホンダが先行したストロングハイ

図3-6　各国シェアトップ市場分析（ITサービス・ソフトウエア：品目数ベースと対象市場規模ベース）

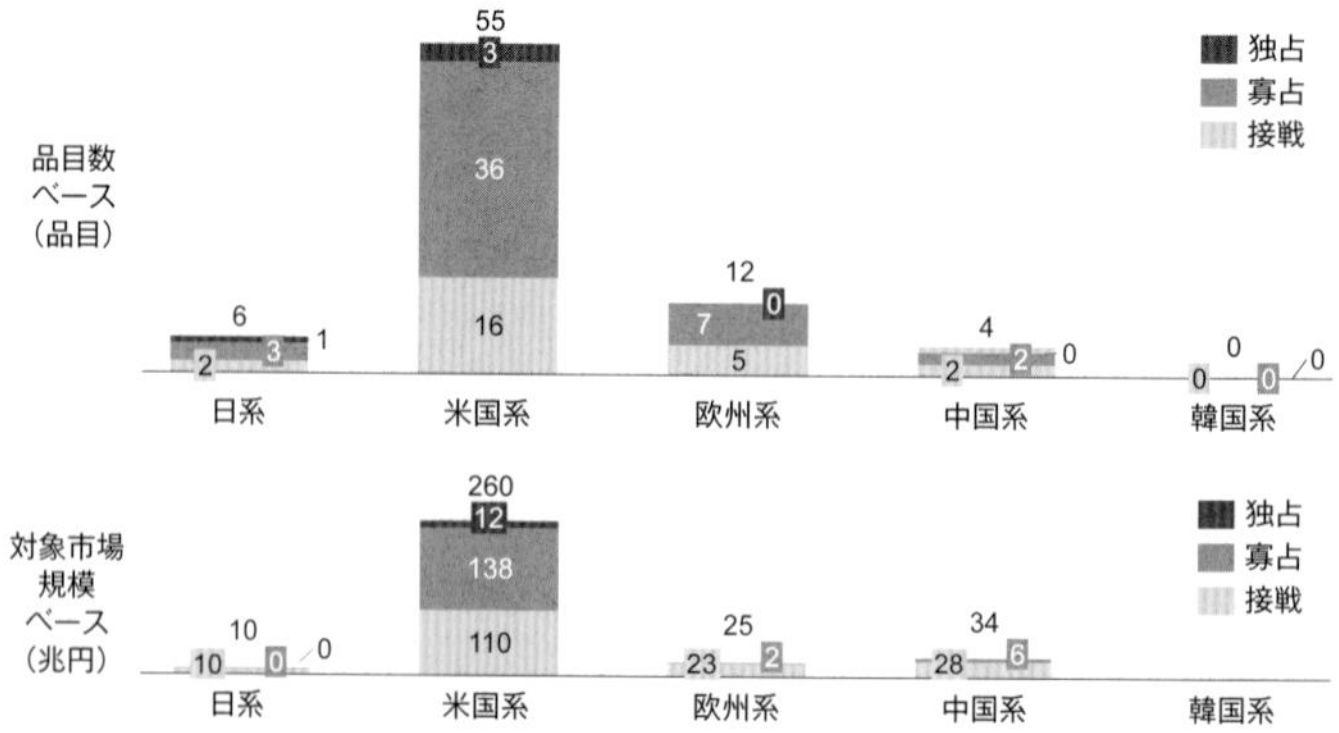

出典：NEDOリポートを基にADL分析

ブリッド車（7・42兆円）である。これ以外にも自動車領域では、ワイヤーハーネス（5・73兆円）、HEV／EV駆動システム（2・77兆円）、マイルドハイブリッド車（2・24兆円）、自動車用小型モーター（2・22兆円）のパワーエレクトロニクス系の領域と、素材系の自動車用ガラス（1・48兆円）の合計6品目がランクインしており、日本の基幹産業としての存在感を誇っている。

第3位は電子材料（6・67兆円）で、これも多くのサブセグメントを含むが、7兆円弱の規模の世界市場において日本企業のシェアがトップ。素材系ではこれ以外にも、自動車にとどまらず幅

図3-7　各国シェアトップ市場分析　　日本

	カテゴリー	製品名	戦況	世界市場規模（2018年）
1	ITサービス	受託開発・構築（SI）	接戦	10.1兆円
2	自動車	ストロングハイブリッド車（全体）	寡占	7.42兆円
3	素材	電子材料	接戦	6.67兆円
4	自動車	ワイヤーハーネス	寡占	5.73兆円
5	素材	高張力（ハイテン）鋼	接戦	5.27兆円
6	産業用車両	油圧ショベル	接戦	3.38兆円
7	自動車	HEV/EV駆動システム	寡占	2.77兆円
8	自動車	マイルドハイブリッド車（全体）	寡占	2.24兆円
9	自動車	小型モーター	接戦	2.22兆円
10	産業機械	空圧装置	接戦	1.59兆円
11	半導体	バリスタ（積層チップ）	寡占	1.57兆円
12	自動車	自動車用ガラス	寡占	1.48兆円
13	半導体	フレキシブルプリント配線板	接戦	1.40兆円
14	素材	CMOSイメージセンサー	寡占	1.38兆円
15	素材	ポリプロピレン	接戦	1.37兆円
16	素材	印刷用インク	接戦	1.35兆円
17	素材	ポリカーボネート	接戦	1.34兆円
18	素材	シリコーン	寡占	1.34兆円
19	半導体	シリコンウエハー	寡占	1.09兆円
20	産業用車両	フォークリフト（エンジン式）	接戦	1.07兆円

出典：NEDOリポートを基にADL分析

広い用途で利用されている高張力（ハイテン）鋼（5・27兆円）、ポリプロピレン（1・37兆円）、印刷用インク（1・35兆円）、ポリカーボネート（1・34兆円）、シリコーン（1・34兆円）と、自動車領域と同じく6品目がランクインしている。

品目数で自動車と素材に続くのは4品目ランクインしている半導体領域であるが、半導体チップそのものでシェアトップなのはCMOSイメージセンサー（1・38兆円）のみで、他はバリスタ［積層チップ］（1・57兆円）、フレキシブルプリント配線板（1・40兆円）などの受動部品・部材系か、素材としてのシリコンウエハー（1・09兆円）となっている。残りは、油圧ショベル（3・38兆円）、空圧装置（1・59兆円）、エンジン式フォークリフト（1・07兆円）の中量産型の産業機械である。こうしてみると、世界的に存在感がある日本のシェアトップ産業というのは、SIer以外ではハイブリッド車を起点とした自動車領域、あとは素材領域と半導体領域、中量産ニッチトップ型の産業機械などのBtoB型の産業財に集中していることが分かる。

◆米国はITと航空機が2大基幹産業に

同様のランキングを他国・地域で見てみると、より明確な各国・地域の産業構造上の特徴が見えてくる。まず、米国（**図3-8**）は、上位20品目のうち、半数の10品目がITを中心としたサービス領域になっていることが最大の特徴だろう。しかもモバイル決済サービス（82・3兆円）、ショッピング（32・1兆円）、データセンター（26・6兆円）、旅行予約サービス（25・4兆円）、オークション（11・6兆円）など市場（流通）規模が文字通り桁違いに大きい市場でシェアトップを押さえている。

シェアトップ品目数で続くのが、OA／IT機器のハードウエアであり、パソコン（ノートブック＝9・14兆円&デスクトップ＝4・86兆円）、サーバー（6・56兆円）、タブレット端末（5・93兆円）と4品目がランクインしている。次いで半導体ではアプリケーションプロセサ（8・14兆円）、アナログリニアIC（6・42兆円）、MPU（6・11兆円）と3品目ランクイン

図3-8　各国シェアトップ市場分析　　米国

	カテゴリー	製品名	戦況	世界市場規模（2018年）
1	ITサービス	モバイル決済サービス	接戦	82.3兆円
2	ITサービス	ショッピング	寡占	32.1兆円
3	ITサービス	データセンター	寡占	26.6兆円
4	ITサービス	旅行予約サービス	寡占	25.4兆円
5	民間航空機	機体・部品（全体）	寡占	20.1兆円
6	民間航空機	広胴機	接戦	12.3兆円
7	ITサービス	オークション	寡占	11.6兆円
8	ITサービス	保守、運用（オンサイト）、ほか	接戦	10.2兆円
9	ITサービス	SaaS	寡占	9.52兆円
10	OA／IT機器	パソコン（ノートブックタイプ）	接戦	9.14兆円
11	ITサービス	アプリケーションストア	独占	8.67兆円
12	ITサービス	IaaS·PaaS	寡占	8.37兆円
13	半導体	アプリケーションプロセサ	寡占	8.14兆円
14	OA／IT機器	サーバー	寡占	6.56兆円
15	半導体	リニアIC（アナログ）	接戦	6.42兆円
16	半導体	MPU	独占	6.11兆円
17	エネルギー／社会インフラ	ディーゼルエンジン	寡占	5.93兆円
18	OA／IT機器	タブレット端末	接戦	5.93兆円
19	ITサービス	SNS	寡占	5.90兆円
20	OA／IT機器	パソコン（デスクトップタイプ）	接戦	4.86兆円

出典：NEDOリポートを基にADL分析

しており、特にスマートフォンやパソコンなどの情報端末機器の心臓部であるアプリケーションプロセサやMPUなどのロジック系半導体では独占・寡占的なポジションを占めている。

そしてIT系以外で大きいのが航空機産業関連で、中間製品としての機体・部品（20・1兆円）とボーイング社の「777」や「787」など最終製品としての広胴機（12・3兆円）でシェアトップとなっている。米国の場合、ITサービス、OA／IT機器（ハードウエア）、ロジック半導体と垂直統合的に連なる広義のIT産業と、軍需にもつながる航空機産業が2大基幹産業といえよう。

◆自動車と医薬品が2大産業の欧州

これに対して欧州の場合（**図3-9**）、シェアトップの品目・領域とその対象市場規模を見ていくと、現状の自動車産業の主戦場であるガソリン車（285兆円）と欧州では自動車メーカーが主導しているモビリティーサービス（22・7兆円）などの自動車関連産業、および医療用医薬品（110兆円）やOTC医薬品（15・9兆円）からなる医薬品産業の両方で、接戦ながらシェアトップを押さえている。この自動車・医薬品関連の2大産業により、欧州のシェアトップ20品目の対象市場規模の9割弱を占めている。

一方でそれ以外のシェアトップ品目で言うと、欧州エアバスの「320／321シリーズ」がベストセラーとなっている細胴機（14・9兆円）を筆頭に、すべてBtoBの産業財領域となっている。この点は日本の産業構造にも近いと言えそうだ。その中でも特徴的なのは、バイオジェット燃料（6・56兆円）やバイオマス発電（1・18兆円）のようなグリーンエネルギー関連や、民間水道事業（4・17兆円）やそこで使われるポンプ（2・07兆円）などの社会インフラ関連の産業で世界的に優位に立っている点であろう。

このように欧州は、自動車や医薬品など技術をベースにスケールの効く製造業領域で世界的なプレゼンスを維持しつつ、ニッチトップ型の産業財領域

図3-9　各国シェアトップ市場分析　　欧州

	カテゴリー	製品名	戦況	世界市場規模（2018年）
1	自動車	ガソリン車	接戦	285兆円
2	医薬品	医療用医薬品	接戦	110兆円
3	ITサービス	モビリティーサービス	接戦	22.7兆円
4	医薬品	OTC医薬品	接戦	15.9兆円
5	民間航空機	細胴機	接戦	14.9兆円
6	エネルギー／社会インフラ	バイオジェット燃料	接戦	6.56兆円
7	産業機械	ベアリング	接戦	5.05兆円
8	エネルギー／社会インフラ	民間水道事業	寡占	4.17兆円
9	自動車	高張力（ハイテン）鋼	接戦	3.87兆円
10	産業用車両	エレベータ	接戦	3.06兆円
11	検査・分析機器等	臨床検査薬	接戦	3.03兆円
12	エネルギー／社会インフラ	ポンプ（上下水道など一般的なもの）	寡占	2.07兆円
13	産業機械	超硬工具	接戦	1.93兆円
14	自動車	エアバッグ	寡占	1.60兆円
15	産業用車両	フォークリフト（バッテリー式）	接戦	1.44兆円
16	素材	ポリアミド樹脂	接戦	1.38兆円
17	自動車	触媒	寡占	1.28兆円
18	エネルギー／社会インフラ	バイオマス発電	寡占	1.18兆円
19	自動車	PP（ポリプロピレン）	接戦	1.11兆円
20	産業機械	業務用冷凍冷蔵機器	接戦	1.08兆円

出典：NEDOリポートを基にADL分析

でも幅広い産業構造を持つ。加えて、今後の成長産業となり得るグリーンエネルギーや社会インフラ領域で世界的に先行している。こうした欧州の産業構造は、まさに日本にとって1つの分かりやすいベンチマークの対象といえるだろう。

◆中国・韓国・台湾の産業構造

対して近隣アジアの中国・韓国・台湾の産業構造はどうか。まず世界第2位の経済大国となった中国（**図3-10**）は、世界シェアトップ品目のうち対象市場規模が最大となるのが汎用鋼材としての炭素鋼（140兆円）であり、モノづくり型の産業の基盤となる汎用素材では圧倒的な存在感を持つに至っている。また中国の特徴は、スマートフォン（51.1兆円）やその主要部品であるメインディスプレー（2.46兆円）、カメラモジュール（2.01兆円）などスマホ関連製品と、家庭用冷凍冷蔵庫（13.7兆円）や家庭用のルームエアコン（11.6兆円）、LCD（液晶）TV（10.2兆円）、掃除機（2.73兆円）といった家電製品など一般消費者向けの通信・家電製品で、自国市場の大きさを武器に世界シェアトップを取っている品目が多数を占めている点にある。

またITサービス領域でも、フリーマーケットサービス（15.6兆円）、ショッピングモール（12.8兆円）、シェアリングサービス（3.35兆円）、ライドシェア（2.54兆円）などエンドユーザーの多さを武器に、BtoC向けのプラットフォーム型サービスを中心に、米国に次ぐ存在感を有している。加えて、今後の成長を見据えて、国策として強化を続けている電気自動車（11・6兆円）やプラグイン・ハイブリッド車（3・33兆円）などの電動車、陸上風力発電システム（5・95兆円）や結晶シリコン太陽電池（4・73兆円）などの再生可能エネルギー領域でも世界シェアトップの製品が育ちつつあり、まさに全方位型の産業強国を指向していることが見て取れる。

対して韓国、台湾は、シェアトップ品目の大半がエレクトロニクス系のデバイス・中間財となっている。このう

図3-10　各国シェアトップ市場分析　　中国

	カテゴリー	製品名	戦況	世界市場規模（2018年）
1	素材	炭素鋼	寡占	140兆円
2	携帯電話	携帯電話（スマートフォン）	接戦	51.1兆円
3	医薬品	ジェネリック医薬品	接戦	21.3兆円
4	ITサービス	フリーマーケットサービス	接戦	15.6兆円
5	家電製品	家庭用冷凍冷蔵庫	寡占	13.7兆円
6	ITサービス	ショッピングモール	接戦	12.8兆円
7	自動車	電気自動車（全体）	寡占	11.6兆円
8	家電製品	家庭用エアコン（ルームエアコン）	寡占	11.6兆円
9	家電製品	LCD（液晶）TV	接戦	10.2兆円
10	産業機械	工作機械	接戦	7.82兆円
11	エネルギー供給施設／プラント	風力発電システム（陸上）	接戦	5.95兆円
12	電池	結晶シリコン太陽電池	寡占	4.73兆円
13	ITサービス	シェアリングサービス	寡占	3.35兆円
14	自動車	プラグイン・ハイブリッド車（全体）	接戦	3.33兆円
15	産業機械	鍛圧機械	接戦	3.32兆円
16	家電製品	掃除機	接戦	2.73兆円
17	ITサービス	ライドシェア	寡占	2.54兆円
18	携帯電話	メインディスプレー	寡占	2.46兆円
19	素材	合成ゴム（SBゴム）	接戦	2.08兆円
20	携帯電話	カメラモジュール	接戦	2.01兆円

出典：NEDOリポートを基にADL分析

ち韓国（**図3-11**）は、DRAM（全体＝9・47兆円、モバイル＝2・45兆円）、NAND型フラッシュメモリー（全体＝7・35兆円、携帯電話向け＝2・43兆円）、有機EL（家電用：2・27兆円、スマホ用：1・52兆円）の3大キーデバイスとその関連部素材（カラーフィルター、バックライト、ディスプレー用ドライバーIC、プリズムシート、偏光板など）がランキングトップ20の過半を占める産業構造になっている。

台湾（**図3-12**）も同様に、LCD（液晶）パネル（大型＝6・41兆円、中小型＝2・35兆円）とその駆動回路としての中小型TFT（1・59兆円）や

図3-11　各国シェアトップ市場分析　　韓国

	カテゴリー	製品名	戦況	世界市場規模（2018年）
1	半導体	DRAM	寡占	9.47兆円
2	半導体	フラッシュメモリー（NAND型）	接戦	7.35兆円
3	携帯電話	MobileDRAM	寡占	2.45兆円
4	携帯電話	フラッシュメモリー（NAND型）	接戦	2.43兆円
5	家電製品	OLED（有機EL）	寡占	2.27兆円
6	携帯電話	有機ELディスプレー	寡占	1.52兆円
7	家電製品	カラーフィルター（大型パネル）	接戦	1.34兆円
8	エネルギー供給施設／プラント	バラスト水浄化装置	接戦	0.78兆円
9	携帯電話	中小型LCDバックライト	接戦	0.45兆円
10	半導体	ディスプレー用ドライバーIC	接戦	0.32兆円
11	携帯電話	アンテナ	寡占	0.29兆円
12	家電製品	ドライバーIC（大型LCD用）	接戦	0.27兆円
13	エネルギー供給施設／プラント	電力貯蔵設備用リチウムイオン二次電池	寡占	0.23兆円
14	電池	リチウムイオン二次電池（電力貯蔵設備用）	寡占	0.23兆円
15	家電製品	プリズムシート	寡占	0.14兆円
16	素材	バイオPET	寡占	0.12兆円
17	電池	封止用原材料（原料樹脂/添加剤）	寡占	0.10兆円
18	家電製品	LED-TV用導光板	寡占	0.10兆円
19	家電製品	DVDプレーヤー（Blu-rayタイプ）	接戦	0.10兆円
20	家電製品	パッシブ3D用円偏光フィルター	寡占	0.10兆円

出典：NEDOリポートを基にADL分析

静電容量式タッチ入力デバイス（1・34兆円）などの液晶ディスプレー関連産業と、銅張積層ガラス板（0・97兆円）、携帯電話用ビルドアッププリント配線板（0・84兆円）などの電子回路基板実装の中間部材が産業の中心となっている。ただし、このNEDOリポート上では、台湾が高い競争力を誇る半導体の前工程製造受託サービス（いわゆる、ファウンドリー）や半導体の後工程製造受託サービス（OSAT）、電子機器製造受託サービス（EMS）などの製造系サービスが調査対象品目として定義されていない。このため、これら製造受託サービスを含めたエレクトロニクスの川中領域が台湾

図3-12　各国シェアトップ市場分析　　台湾

	カテゴリー	製品名	戦況	世界市場規模（2018年）
1	家電製品	LCD（液晶）パネル（大型パネル）	接戦	6.41兆円
2	家電製品	LCD（液晶）パネル（中・小型パネル）	接戦	2.35兆円
3	携帯電話	中小型TFT	接戦	1.59兆円
4	携帯電話	タッチ入力デバイス（静電容量式）	寡占	1.34兆円
5	半導体	銅張積層板（ガラス）	接戦	0.97兆円
6	携帯電話	ビルドアッププリント配線板	寡占	0.84兆円
7	OA／IT機器	プロジェクター	接戦	0.61兆円
8	半導体	ビルドアップ基板（ベースタイプ）	接戦	0.49兆円
9	家電製品	ITモニター用バックライトユニット	接戦	0.46兆円
10	小型モーター	軸流ファンモーター	接戦	0.34兆円
11	家電製品	白色LED	接戦	0.32兆円
12	半導体	フラッシュメモリー（NOR型）	接戦	0.26兆円
13	半導体	ガラスクロス	寡占	0.19兆円
14	家電製品	導光板材料（シート）	寡占	0.08兆円
15	LED	LED用リードフレーム	接戦	0.07兆円
16	家電製品	拡散版	寡占	0.07兆円
17	OA／IT機器	密着イメージセンサー	寡占	0.06兆円
18	産業機械	ドリリングマシン	寡占	0.04兆円
19	携帯電話	チップ抵抗器	接戦	0.04兆円
20	ストレージ関連	BD-RE	寡占	0.03兆円

出典：NEDOリポートを基にADL分析

の主力産業として捉えられる。

以上の考察を基に、各国・地域の産業構造の特徴をまとめたものが**図3-13**である。従来からの強みである半導体・IT機器を起点に、川下のITサービスに一気に産業の重心をシフトさせた米国。従来からの強みである素材・機械系の技術を高付加価値にシフトさせ自動車と医薬品の2大市場を押さえた上で、ニッチトップ産業財も残しつつ、グリーンエネルギーと社会インフラ領域に活路を見いだそうとする欧州。世界最大の市場規模となった自国市場を持つ強みを生かしつつ、日米欧の良いとこ取りで全方位での産業強国化にひた走る中国。DRAM/NAND/OLEDの「キーデバイス3本の矢作戦」で突き進む韓国。LCDパネルなどエレクトロニクス系の中間

図3-13　各国シェアトップ市場分析　シェアトップ品目（上位20品目）のカテゴリー構成比較

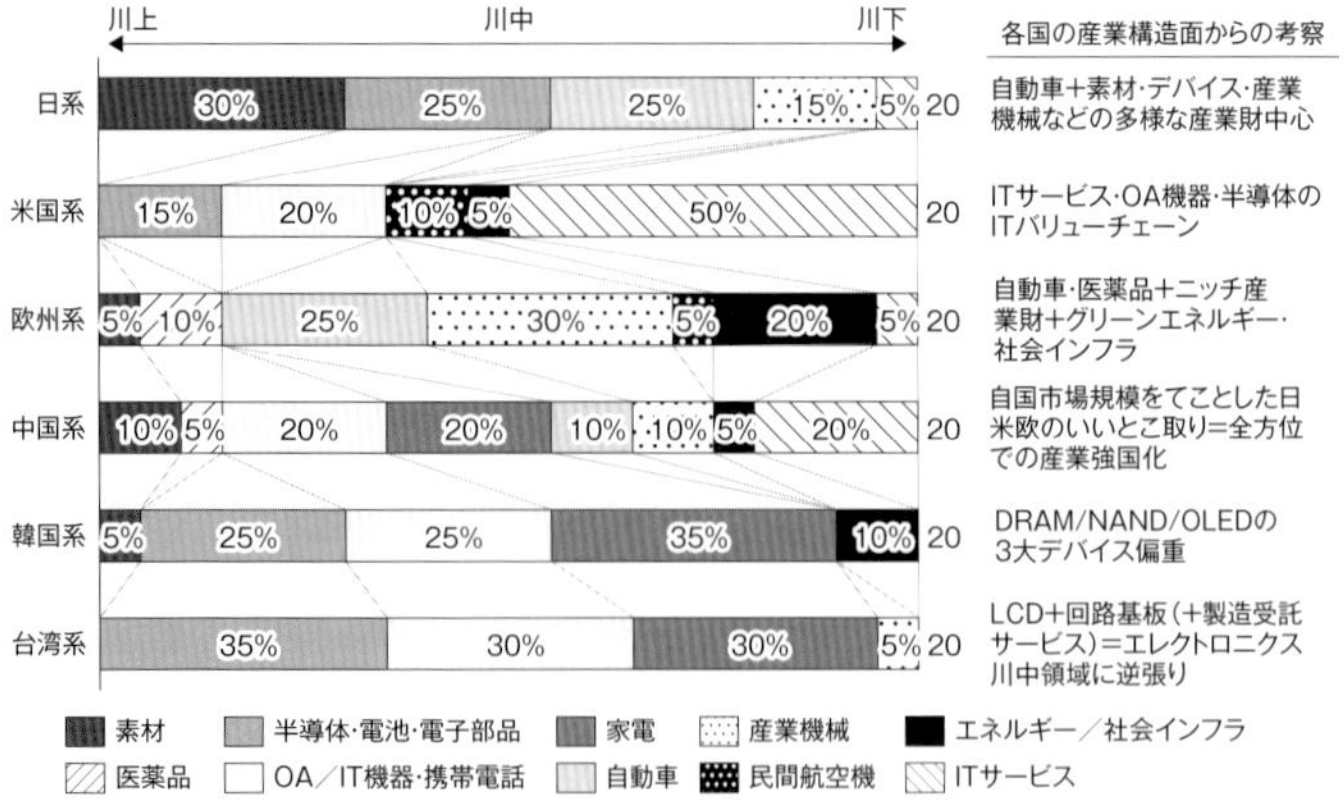

出典：NEDOリポートを基にADL分析

財と受託サービスを核にエレクトロニクス産業の川中領域に逆張りする台湾――。そしてこれらに対して、ハイブリッド車に象徴される自動車に加え、機能素材や電子デバイス、自動車部品、産業機械など幅広いＢｔｏＢ型の産業財で多様なニッチトップ製品を抱える日本が、向こう10～20年を見据えてグローバル産業のどこで戦うべきか。これを次節でさらに考察してみたい。

グローバル産業における日本の4つの勝ちパターン

これまでの各国の産業構造の比較の中から見えてきた日本の産業構造上の強みと弱みを踏まえると、今後も日本企業がグローバルに競争力を持ち得る領域は、どのように定義・類型化できるだろうか。**図3-14**では、縦軸にビジネスモデル（ＢｔｏＣ／ＢｔｏＢ）を取り、横軸にビジネスエコシステム上のポジション（プラットフォーム／エッジ）を取っている。ここで「プラットフォーム」とは、「フェイスブック」のようなＳＮＳ、「ウーバー」のような乗客とドライバーのマッチングサービス（ライドシェア）といったエンドユーザー向けサービスや、米アマゾン・ドット・コムが提供するクラウドサービス「ＡＷＳ」や日立製作所の「ルマーダ」などの企業向けサービスを指す。各種個別サービスのバックエンドを支えているような「不特定多数の顧客に対して複数のサービスを提供でき、かつ随時更新が可能な事業基盤」といえるもので、特に昨今IT／ソフトウェアサービス業界において注目されている分野である。これに対して「エッジ」とは、このようなプラットフォームの対極にあり、エンドユーザーとのインターフェースを持ちながら、独立的に機能するハードウエアやソフトウエアである。例えば、最近の自動車業界のコネクテッドサービスなどでは、通信ネットワークを介してこうしたプラットフォームと接続するケースが増えており、プラットフォームとエッジ（車両）とをシステム全体の中でセットで考えるようになっている。

図3-14　日本のグローバル型産業における勝ちパターン

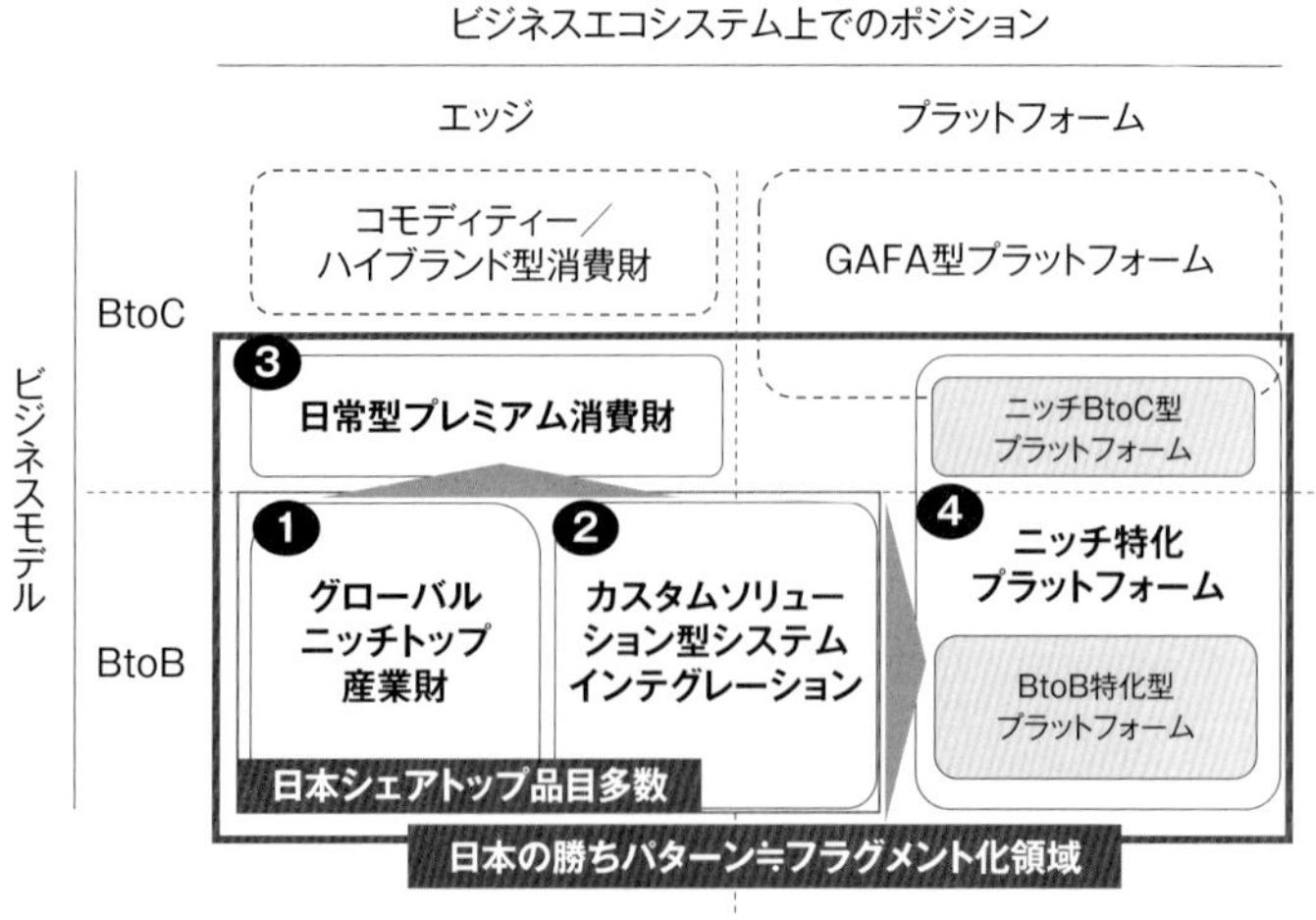

出典：ADL

こうしたフレームワークの中で見ると、日本の勝ちパターンは、次の4つのパターンに集約することができるだろう（**図3-15**）。

①グローバルニッチトップ産業財
②カスタムソリューション型システムインテグレーション
③日常型プレミアム消費財
④ニッチ特化プラットフォーム

以下、順に見ていこう。

◆①グローバルニッチトップ産業財

先に分析した通り、日本のシェアトップ品目の対象市場規模上位20品目のうち、ＩＴシステムの受託開発・構築（ＳＩ）と2種類のハイブリッド車（ストロング・マイルド）の3品目を除いた実に17品目が、ＢｔｏＢ型の産業財。こうした産業財分野が、日本のグローバルな勝ち残り産業の代表格といえる。これらは大きく4つのサブカテゴリーに分類することができる。日本企業にはこのような分野におけるニッチトップ企業が多い。

図3-15　4つの勝ちパターンの概要

勝ちパターン	❶ グローバル ニッチトップ 産業財	❷ カスタム ソリューション型 システム インテグレーション	❸ 日常型 プレミアム 消費財	❹ ニッチ特化 プラットフォーム
市場での位置取り	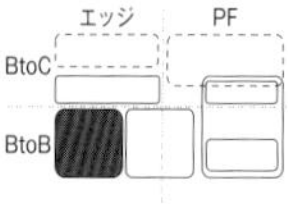	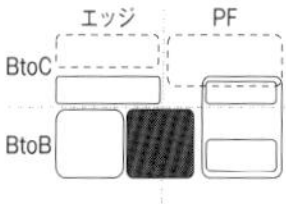	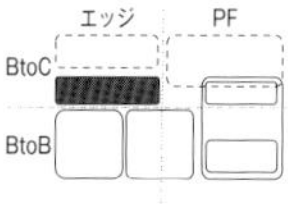	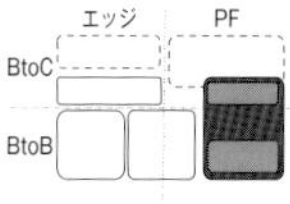
特徴	• 日本のシェアトップ品目の対象市場規模上位品目の大半を占める日本のグローバルな勝ち残り産業の代表	• 複雑化·フラグメント化する世界の中ではますますニーズが増えていく領域	• 最終消費者への直接的な訴求が必要となるBtoC領域での日本の勝ちパターン	• GAFAとは異なるプラットフォーム(PF)型のビジネスにおける日本企業の勝ちパターン
代表業種分野	• 機能素材 • 半導体(電子部品) • 産業機械 • 自動車部品	• IT SIer • FA SIer • プラントエンジニアリング • ゼネコン • 自動車部品ティア1サプライヤー	• ハイブリッド車 • 電動アシスト自転車 • 調理·美容家電 • 温水洗浄便座 • 特保·生理用品 • 菓子·果物	• ニッチBtoC型プラットフォーム:ゲーム、アニメ、カーシェアリングなど • BtoB特化型プラットフォーム:建機/FA　IoTソリューションなど

出典：ADL

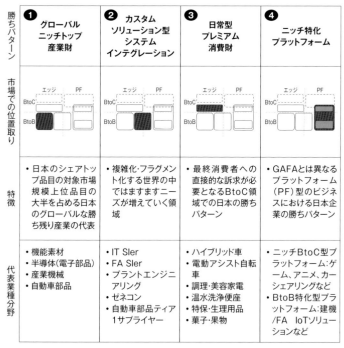

・機能素材：電子材料、高張力鋼、ポリプロピレン、印刷用インク、ポリカーボネート、シリコーン　など
・半導体（電子部品）：バリスタ（積層チップ）、フレキシブルプリント配線板、CMOSイメージセンサー、シリコンウエハー　など
・産業機械：油圧ショベル、空圧装置、エンジン式フォークリフト　など
・自動車部品：ワイヤーハーネス、HEV／EV駆動システム、小型モーター、自動車用ガラス　など

「グローバルニッチトップ」というと、経済産業省が選定している「グローバルニッチトップ企業100選」に登場する中堅／中小企業を中心としたニッチプレーヤーなどをイメージしがちであるが、世界市場視点で言えばニッチとはいえ、これら4つのサブカテゴリーの産業財市場の中には数千億～1兆円以上の市場規模を持つものもある。こうした分野を対象市場とした複数事業のポートフォリオを持つ製造業企業の代表例が、グローバルに高い競争力を持つ村田製作所や京セラなどの電子部品メーカーや、「グローバルニッチトップ」という表現自体を自社で商標登録している日東電工、旭化成などの機能材料メーカーであり、今後もこのような産業財メーカーが日本のグローバル産業の中核を担うと考えられる。

ただし、こうした産業財事業の中でも、特に川上〜川中の領域に位置する機能素材や半導体（電子部品）の領域においては、勝ち残るための要件がある。それは、特定の大型アプリケーション（キラーアプリ）依存型の事業ではなく、独自性のあるしっかりとしたコア技術や技術プラットフォームを基盤として持ち、その上で複数のアプリケーションを面的に押さえられるような戦い方ができていることである。実際に、中国・韓国・台湾のアジア勢がシェアトップを押さえているディスプレーや電池といったキーデバイス領域では、そのデバイス領域での垂直統合型の産業構造の強みを生かして、アジア勢がさらに上流の素材・部材分野などを押さえる傾向が強まっている。また、日本が市場全体としてはシェアトップとなっている高張力鋼やポリプロピレンなども、自動車用途に限れば欧州がシェアトップなのである。自動車を除けば、川下の完成品事業の競争力が落ちている日本にとっては、過去からの産業財メーカーの勝ちパターンであった国内完結型の垂直統合モデルではなく、むしろコア技術起点で幅広い用途市場を押さえる形での水平分業モデルに活路を見いだす必要があるのだ。

産業機械領域も足元では全体的に市場成長が続いており、対象市場規模上位20品目以外にも、半導体製造・検査装置や産業用ロボット、内視鏡など一部医療機器などで日本企業が依然としてシェアトップの強みを持つ。自動車部品についても、**図3-16**に示すように、顧客ごとにカスタマイズが求められ、かつ、仕様実現のための複雑性が高いメカトロニクスや、パワーエレクトロニクス関連の部品の多くで日本企業がシェアトップとなっている。今後の電動化のトレンドの中でも、サプライヤー視点から見れば技術的には十分に飛躍のチャンスが存在すると考えられる。また自動車部品に限らず、パワー半導体などカーボンニュートラルを実現する上でのキーコンポーネントで日本メーカーが高いシェアを有する部品・部材も数多い。このため、社会レベルでのカーボンニュートラル化を実現していく上でのキーコンポーネントの提供が、今後の日本の産業財領域における新しい勝ちパターンとして拡大していく可

図3-16　自動車部品における日系メーカーの競争優位領域

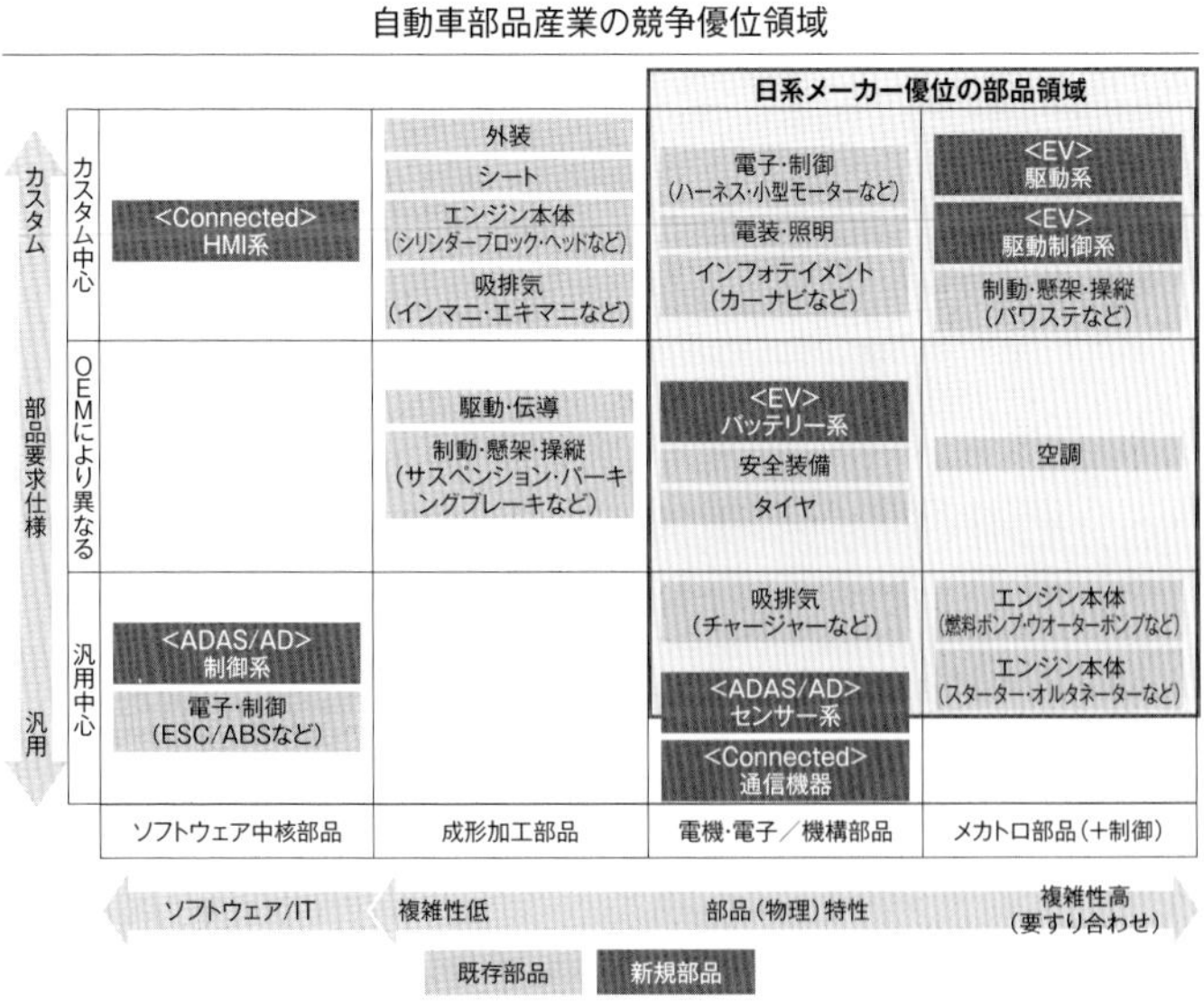

出典：ADL

能性は高い。

一方、カーボンニュートラルの動きが世界的に活発になる中で、製造工程でのCO_2削減などこれまでになかった新たな制約条件がクローズアップされてきている。結果としてこれまで日本企業が強みとしてきたモノづくりプロセスの抜本的な見直しを迫られるようなケースも出てきており、特に素材産業などにおいては競争力維持のため、これまで以上に積極的に新工法などの技術開発投資が求められることも予想される。日本企業にとっては、このようなカーボンニュートラル実現に向けた不連続な競争環境・技術基盤の変化への対応も、大きな経営課題となるだろう。

◆②カスタムソリューション型システムインテグレーション

日本が押さえるシェアトップ市場の中で最大のITシステム受託開発・構築（SI）に代表されるシステムインテグレーション産業も、日本が世界的に強みを発揮し得る産業といえる。その内容は、単にITシステムの構築にとどまらない。このカテゴリー市場には、最近では工場のほか倉庫や店舗などサービス業の現場を含めて自動化ニーズが高まる中で、需要が拡大しているFA（ファクトリーオートメーション）インテグレーターやロボットインテグレーターなども入る。さらにはプロセスプラントや発電所などの設計・建設を手掛けるプラントエンジニアリング、建築物や社会インフラの設計・建設を手掛けるゼネコン（ゼネラルコントラクター）なども、広義のシステムインテグレーションという意味で含まれる。

また、従来は単品部品の開発・製造がメインであった部品メーカーの中でも、自動車のように対象とする製品の複雑度が増す中で、従来の一次サプライヤー（ティア1：自動車メーカーに直接部品などを納入するメーカー）がシステムサプライヤー化しており、「メガサプライヤー」とか「ティア0・5」などと称されるようになっている。結果として、こうした自動車部品のティア1サプライヤーのビジネスも、システムインテグレーションの業態に近くなってきている。

日本のシステムインテグレーターの最大の特徴は、領域を問わず、顧客ニーズやその他技術的な制約条件に合わせて、個別案件ごとのカスタマイズに柔軟に対応しながら、複雑なシステム構築を納期内に完成させるプロジェクトマネジメント力にあるだろう。このようなシステムインテグレーション型産業は、複雑化・フラグメント化する世界の中では一層ニーズが増えていく領域である。実際に製造業やサービス業における自動化推進の役割を担うFA／ロボットインテグレーターの現場では、需要に供給が追い付かないのが現状である。また、ゼネコンについても、第2章で見たようなコミュニティーベースでの社会インフラの更新・再構築が今後進む中で、その存在感がより高まっていくことが考えられる。

またシステムインテグレーターにはカスタマイズ力が求められ、それが競合他社との差異化につながるという意味で、良くも悪くもプラットフォームビジネスとは対極的にスケーラビリティを追求しづらい領域となる。そうであるからこそ、プラットフォーム型ビジネスのような「勝者総取り」のゲームになりにくく、かつプラットフォーマーに求められるビジネスモデルを含めたエコシステム全体の構想力よりも、個別案件ごとのプロジェクトマネジメント力や収益管理能力などが重要になる。そうした管理を徹底することで利益を確実に確保しやすくなるという意味でも、本来日本企業の強みが生きる領域といえるのだ。

一方で、これまで日本企業が強みを発揮してきたシステムインテグレーション産業の中でも、対象システムそのものの技術・市場トレンドが変化する中で、業態転換を迫られている領域もある（**図3-17**）。その

図3-17　カスタムソリューション型システムインテグレーションにおける主要課題

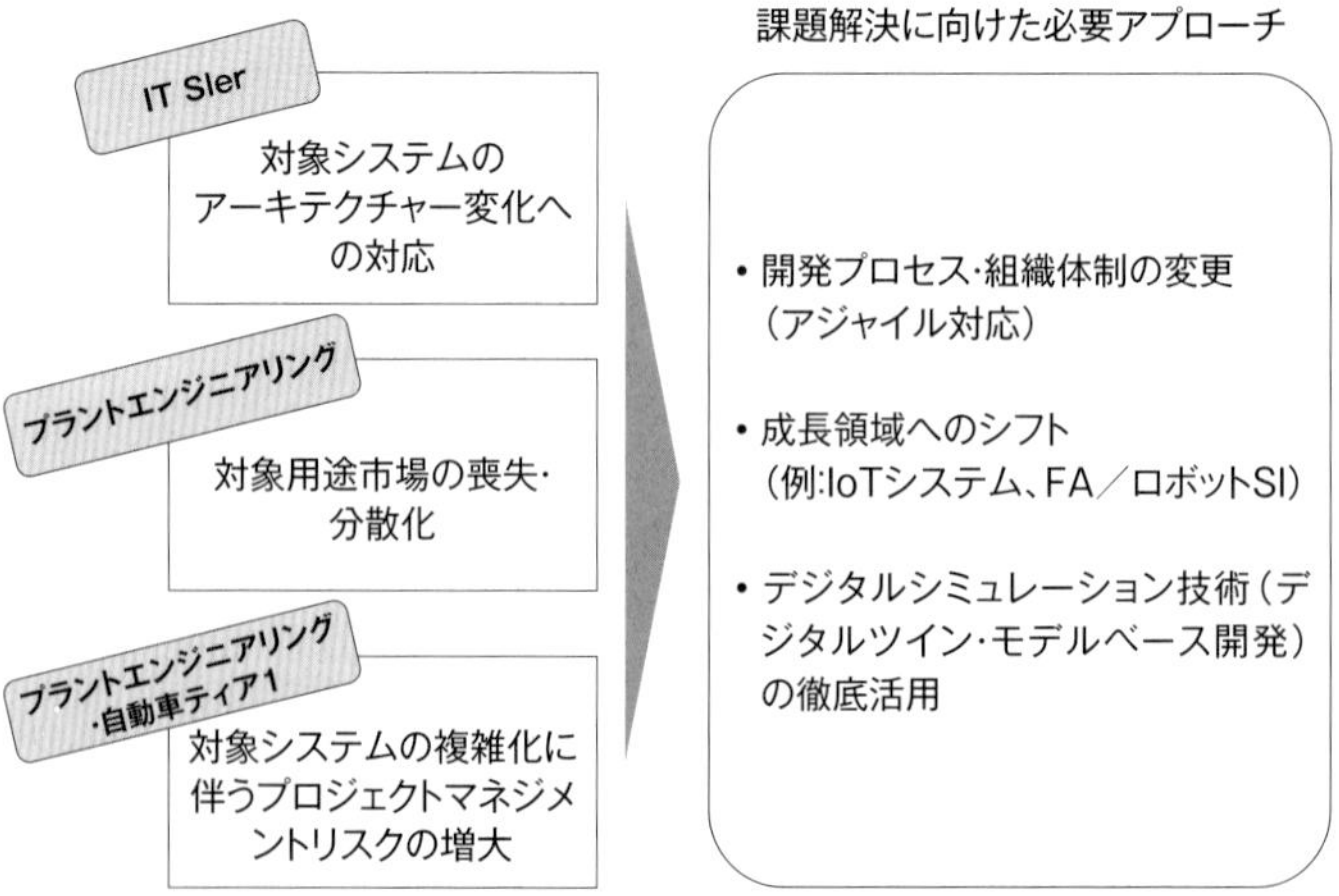

出典：ADL

典型が、日本の世界シェアトップのうち最大市場となっているＩＴシステムの受託開発・構築の領域である。日本のＳＩｅｒが中心的なビジネスとしてきた民間企業や政府向けのバックエンドのＩＴシステムなどは、従来は個別の顧客ごとに独立したＩＴシステムをフルスクラッチやパッケージソフトのカスタマイズの形で構築していくのが通常であった。しかし昨今はアマゾンのＡＷＳなど、米ＩＴ大手ＧＡＦＡなどのプラットフォーマーがクラウド上で提供するサービスを活用して、できる限り軽くシステム構築を進めるのが主流となりつつある。それに伴ってシステム開発の進め方も、従来のようにシステム設計の初期段階で要件定義を固めて、それを徐々に具体的なシステムとして落とし込んでいくウオーターフォール型の開発アプローチから、大方針だけを決めた後はトライ＆エラーを繰り返しながら開発を進めていくアジャイル型の開発アプローチへの転換が進んでいる。結果として、ウオーターフォール型の開発アプローチに最適化された企業組織や業界構造が温存されている日本のＳＩｅｒ業界は、一種のガラパゴス化しつつもある。

この負の側面が象徴的にクローズアップされたのが、コロナショックで際立った行政機関のデジタル化の遅れの要因が、それを担当してきた大型システム開発を収益源とする多重的なＳＩｅｒ（いわゆるＩＴゼネコン）などの従来型の業界構造にあったとする指摘であろう。まさにＳＩｅｒ産業自身の、トランスフォーメーションが必要とされているともいえる。

また、異なる側面で変革を迫られているのがプラントエンジニアリング産業である。プラントエンジニアリング各社は、これまで石油や天然ガスなどの掘削・精製プラントや、その川下領域に位置づけられる石油化学ベースの化学プラント、また石炭や天然ガスなどの化石燃料ベースの火力発電所などを中心に手掛けてきた。しかし、カーボンニュートラルへと向かう世界的な中長期トレンドの中で、今後そうした開発が大幅に縮小に向かう可能性が高い。さらに化学プラントなどでは、バイオ原料やリサイクル材などカーボンニュートラルに即したこれまでとは異なる原料を起点とした生産プロセスが求められ、発電施設も従来のような化石燃料ベースの大型発電所建設よりも、再生可能エネルギーをベースとした小規模な発電施設建設のニーズが増えていく。こうした中では、海外（それも多くは新興国）での大型案件を中心とした経営から、大きく事業ポートフォリオを転換していくことが求められることになる。

加えてプラントエンジニアリング業界では、対象とする事業環境やシステム自体の複雑度が上がる中で、従来強みであったプロジェクトマネジメント力にもほころびが見られるケースもある。典型例としては、まず古典的ともいえる、プラントエンジニアリング業界における経験の少ない新興国の大型案件で、現場マネジメントの不備による工期の遅延やシステムの不具合から巨額の損失を発生させてしまうようなケース。また昨今では、自動車部品の領域でメガサプライヤー化を狙って海外の顧客からの大型案件を受注したものの、システム開発の難度上昇や顧客との商習慣の違いなどからトラブルを招き、大きな損失を計上するといったケースもある。

では、こうした変化や課題克服にシステムインテグレーターはどう対処すべきなのか。まず戦略面では、特にITシステムの開発・構築に特化してきたSIerは、クラウドベースでのアジャイル型開発への対応を進めると同時に、根強いカスタム対応ニーズが残る「ハードウエアも含むシステム」、すなわちリアルなセンシング情報の収集・分析を前提としたIoTシステムや、FA／ロボットインテグレーションなどの領域への対応を進めることが重要となるだろう。また、プラントエンジニアリングで言えば、新たに勃興するカーボンニュートラル関連の再生可能エネルギーやカーボンニュートラルな反応プロセスの工業化など、新たな社会・顧客ニーズへの対応がカギとなる。このような新しい領域に共通するのは、案件規模としては小規模となるが、今後も高い成長性や一定水準以上の収益性が見込まれる点である。一方で戦術面においては、これら小口案件における生産性を高めつつ、カスタマイズによるプロジェクトリスクを低減するために、システム設計段階における「デジタルツイン」やモデルベース開発（MBD）といったデジタルシミュレーション技術の徹底的な活用がより重要となる。このような領域でのデジタル技術の活用の面においても、先行する独シーメンスなどの欧州企業に学ぶところは大きいといえるだろう。

◆③日常型プレミアム消費財

これまで①グローバルニッチトップ産業財や②カスタムソリューション型システムインテグレー

ションの領域で見てきたように、技術力が事業の競争力に直結するBtoBの市場では、日本がグローバルに競争力を持ち得る産業が多数存在する。では、最終消費者への直接的な訴求が必要となるBtoC市場では、日本の勝ちパターン、勝てるセグメントは特定可能なのだろうか。

実際、こうしたBtoCの大市場である自動車（全体）のシェアトップは欧州、家電やスマホなどは中国が取るなど、日本企業はBtoC型消費財の大型市場全体において市場シェアトップを取れているケースはほとんどない。日本のシェアトップ20品目の中での唯一の例外は、日本企業が市場を創出してきたハイブリッド車のみである。1994年にトヨタ自動車が世界に先駆けて初代プリウスを開発・販売して以来、ホンダや近年「e-power」を積極的に展開している日産自動車なども含め、日本の自動車メーカーは積極的にこのハイブリッド車市場を拡大してきた。実は、こうしたハイブリッド車にこそ、日本企業がグローバルなBtoC市場で勝つためのヒントが隠されている。具体的には、以下の3点が、日本企業がBtoCの消費財市場で勝つための要件といえるだろう（**図3-18**）。

要件①：単品技術勝負ではなく既存技術のすり合わせ・パッケージングの妙で、新しい価値を創出していること

要件②：巧みな技術マーケティングと日本（企業）が持つナショナル・ブランド・イメージに

より、ノンプレミアムの市場セグメントにおいても、価格プレミアムを獲得できていること

要件③：非日常を味わう商品ではなく、日常をより豊かにする商品であること

要件①の視点で言えば、ハイブリッド車は、本来全く別系統の技術である内燃機関（エンジン）と、バッテリー・モーター・インバーターによる電動パワートレインを文字通り融合し最適化するという、すり合わせの極致ともいえるパッケージング技術の塊である。これは、そもそもできるだけシンプルな技術やマネジメ

図3-18　BtoCの消費財市場で勝つための要件（日常型プレミアム消費財）

要件①	単品技術勝負ではなく既存技術のすり合わせ・パッケージングの妙で、新しい価値を創出
要件②	巧みな技術マーケティングと日本（企業）の持つナショナル・ブランド・イメージにより、ノンプレミアムの市場セグメントにおいて価格プレミアムを獲得
要件③	非日常を味わう商品ではなく、日常をより豊かにする商品

出典：ADL

ントを善とする欧米的マネジメント発想の対局に位置するものといえる。だからこそ、欧米の自動車メーカーに電動化＝（エンジンのない）ＥＶという発想が強い一方で、逆に日本の自動車メーカーはむしろこの複雑なハイブリッドシステムを20年以上にわたって改良し続けることで、現状で採算性の確保が可能な水準までの低コストを実現している。

また、新しい価値の創造という観点からは、トヨタ自動車の初代プリウスの開発責任者であった内山田竹志氏（現代表取締役会長）は開発当初から、「今後消費者は、燃費の良さに価値を感じて、お金を払う時代になる」と予見していたという。開発当時の１９９０年代と言えば、まだ自動車メーカー各社が車の高性能化を競っていた時代であり、現在のような厳しい燃費規制も存在していなかった頃である。また、日産自動車が２０１６年から市場投入を始めたｅ‐ｐｏｗｅｒについても、トヨタ方式（ＴＨＳ：トヨタ・ハイブリッド・システム）とは異なるものの、日産がいち早く市場投入していたＥＶ車であるリーフの電動パワートレインを流用することで、低コストと実用性を担保しながら、実質アクセルペダルのオン・オフだけで車速を制御できるワンペダル操作を実現。これによりＥＶの持つ操作感を味わえるという新たな価値を提供することで、日本市場における久々のヒット作となり、グローバル展開が始まっている。こうしたヒットも、もともとは燃費の良さというよりも、日本市場でいち早く普及したハイブリッド車の品ぞろえをＥＶ的な操作感を売りに拡充するという、独自の価値訴求から始まっているものである。今では、欧州や中国を中心に厳しくなる燃費規制の達成手段として、パワートレインの電動化の必要性が語られ、ハイブリッド車についてもその流れの中で日本メーカーの強みとして注目されている。ただハイブリッド車ももともとは、より顧客視点からの価値創出を目的に開発されたものなのである。

要件②は、こうした新しい価値の提供という観点にもつながっているが、トヨタのTHSにしても日産のe-powerにしても、技術の中身そのものというよりも、そのネーミングを含めた1つの機能としての訴求＝技術マーケティングがうまくいった例ということだろう。換言すると、ハイブリッド車を購入する多くの顧客は、ハイブリッド車＝低燃費という認知（イメージ）は持っているものの、かといって厳密にガソリン車との燃費の差を計算して、総保有コスト（TCO）で損か得かといった基準で購入しているわけではないということだ。厳密に経済的価値（＝車両購入時のガソリン車とハイブリッド車の価格差）に見合うだけの差があるかどうかはともかくとして、消費者はハイブリッド車を購入する。そこに技術マーケティングのビジネス的な価値がある。もちろん、ガソリン車よりもハイブリッド車の方が実は燃費が悪いということなら話は別である。ただ実際には、法定速度を大幅に超過した速度で高速道路を走り続けるような使い方でもしない限り、通常はハイブリッド車の方がガソリン車よりも燃費はいいのだ。

またこれには、日本車がもともと持つブランド認知も一役買っている。トヨタブランドをはじめとした日本車がこれだけ広くグローバルに受け入れられているのは、何よりも信頼性・耐久性の高さが評価されているからである。過酷な環境で乱暴な使い方をしても、故障しない。そして、その製品としての信頼性・耐久性の高さの裏付けになっているのは、日本人や日本の企業・社会に対する「勤勉で真面目で誠実」、もっと言えば「自分の利益（商売）のために他人をだましたりしない」という根源的な部分での安心感・信頼感があるためかもしれない。だからこそ、技術的に複雑で、もともと欧州メーカーが市場投入を断念したハイブリッド車のような技術的に複雑な商品が、トヨタブランドのバッジをつけることで欧州でもようやく売れるようになったのだ。

自動車業界でもそうだが、欧州企業が得意とするようなプレミアム戦略というのは、そのブランドの持つ歴史的背景などに基づく感性価値への訴求がそもそもの根本にあり、そのブランドの商品を所有することがステータスであるということをいかにユーザーに認知させられるかの勝負といえる。そこでは個別の機能的な裏付けの有無というよりも、むしろいくらにプライシングするかということでそのブランドのポジションが決まってしまうといった、極めてトップダウン的な世界なのである。これは、ある意味で過去の植民地支配の歴史や現在でもルールメーキングで先行することで覇権を握ろうとする欧州ならではのアプローチともいえるが、この国・地域としてのコンテクストを含めて日本企業がそのまま真似をするのはかなり難しいだろう。そうではなく、ハイブリッド車のように、あくまで技術的な裏付けのある新機能をコアとして、技術マーケティングの妙と背景にある日本としてのナショナル・ブランド・イメージをてこに、機能性＋α

で価格プレミアムを獲得していくというのが、ＢｔｏＣ領域における日本企業の勝ちパターンといえるはずだ。

要件③も、プレミアムという視点に関連するものであるが、日本企業が強みを持ち得るのは、非日常感を演出する嗜好品ではなく、日常使いの中でその機能性・実用性が評価されるような商品においてではないかということだ。こうした「日常型プレミアム」といった性格を持つ商品が、日本にとっての有望分野。日本企業では、パナソニックが２０１５年頃から、自社の家電製品で「ふだんプレミアム」というコンセプトを提唱している。実際、ハイブリッド車にしても、最も真価を発揮するのは渋滞の多い市街地での日常走行における燃費性能の良さであり、まさに日常型プレミアムという言葉がしっくりくる。自動車や家電製品のような日常使いがなされる消費財においてこそ、日本企業が得意とする技術的な裏付けのある機能価値訴求によるボトムアップなプレミアム戦略が生きるのだ。またこうした手法は、新型コロナ禍で日常生活の質の向上に多くの消費者の関心が高まっている中においては、より有効となる可能性も高いだろう。

以上のような3つの要件を満たす消費財における日本企業の成功例は、ハイブリッド車にとどまらない。日常型プレミアムの本家ともいえるパナソニックが展開する家電領域で言えば、新型コロナ禍において日本の清潔性というイメージを背景に、中国を筆頭に海外でもニーズが大幅に高まった「ナノイー」や「ジアイーノ」などの空気清浄機や、健康志向とおいしさの両面で世界的な日本食ブームに乗る炊飯器などの調理家電、さらには日本の美的センスを背景にした美容家電、このほかＴＯＴＯなどの日本の住宅設備メーカーが市場を創出してきた「ウォシュレット」のような温水洗浄便座も、その典型的な成功例だろう。またヤマハ発動機が市場を創り出し、パナソニックと共に国内市場を拡大してきた「電動アシスト自転車」なども典型的なこのカテゴリーの商品といえる。

また、耐久消費財以外でも、インバウンド需要で市場が急拡大してきた「龍角散」のような一般用医薬品や、各飲料・食品メーカーがラインアップを広げている特定保健用食品（トクホ）、肌触りなどを含めた機能性が評価されている紙おむつなどを含む生理用品、さらには、その味と共にバリエーションの豊富さが各地のご当地土産としても重宝されている菓子やイチゴに代表されるような果物なども、この勝ちパターンに入るだろう。いずれにしても、１つ１つの商品は最初はニッチ商品の位置づけからのスタートになるかもしれないが、トヨタがＴＨＳを20年以上かけて進化させて圧倒的にユニークな商品に育てたように、この勝ちパターンの商品を地道かつ愚直に増やしていくことが、結果としてＢｔｏＣ市場における日本企業のプレゼンス拡大に寄与するのだ。

◆④ニッチ特化プラットフォーム

ここまでに紹介した３つの勝ちパターンは、前出の図3-14のビジネスエコシステム上でのポジション（プラットフォーム／エッジ）で言うと、いずれもエッジ側、もしくは②カスタムソリューション型システムインテグレーションのように、エッジとプラットフォームをつなぐ領域に位置するものである。一方、ＧＡＦＡなどが提供するようなＢｔｏＣ向けのプラットフォームビジネスは、スケールメリットが最も効きやすく成功すれば大きな利益を手にすることができる。このため、グローバルで一番ホットな競争領域になっているのだが、一方では「勝者総取り」のゲームのルールが最も支配的な領域でもある。

こうした勝者総取りの戦い方は、ＢｔｏＣ×プラットフォームの対極に位置づけられる、ＢｔｏＢ×エッジに位置する①グローバルニッチトップ産業財が強みの日本企業にとっては、最も苦手な戦い方ともいえる。では、このようなプラットフォーム型のビジネスにおいて日本企業に勝機があるとすれば、どのようなパターンになるのだろうか。一言で言えば、ＧＡＦＡとは異なる戦い方をするということに尽きるが、具体的には「ニッチＢｔｏＣ型プラットフォーム」と「ＢｔｏＢ特化型プラットフォーム」の２つのパターンがあり得る。

ニッチＢｔｏＣ型プラットフォームは、分かりやすくいえば、ソニーグループがターゲットとしているようなゲームや音楽・映画などのコンテンツ配信の領域である。同社のゲーム事業は、「プレイステーション」シリーズとその上で機能するコンテンツを核とした、新型コロナ禍での巣ごもり需要の獲得などでも大いに注目された領域。ソニーはこの領域で、当初からハイスペックなハードウエアに加えゲームコンテンツも一部内製化しつつ、こだわりのあるヘビーユーザーを囲い込み差異化を図ってきた。これに加えて近年では、ネットワーク配信によりサブスクリプション型のビジネスモデルへの転換を果たすことで、新生ソニーグループの中核事業となりつつある。

コンテンツ配信では、まず音楽や映画など比較的マス向けのコンテンツにおいては、GAFAを含めたメガプラットフォーマーに対するコンテンツ提供という形での水平分業的なビジネスモデルに徹している。その一方で、「鬼滅の刃」の大ヒットなどがあったものの世界的にはまだニッチといえるアニメの世界においては、アニメコンテンツ配信プラットフォームを運営していた米クランチロールを買収し、垂直統合的に配信プラットフォーム事業の展開を目指している。

このようにソニーは、ゲームとアニメの2つの世界でプラットフォーム事業を展開している。いずれも比較的コアなエンドユーザーを中心とした垂直統合的なプラットフォームビジネスなのだが、これらにはもう1つ共通点がある。プレイステーションのサブスクリプションサービスである「プレイステーションネットワーク」のアクティブユーザー数も、クランチロールの登録ユーザー数も、（全世界で）1億人規模なのだ。２０２１年の初めの段階で見ると、確かに「フェイスブック」や「インスタグラム」など無料で使えるSNS型のプラットフォームの場合は1桁多い数十億人規模のユーザー数を抱える。一方でクランチロールの場合、２０２１年1月に登録者数（登録無料）が1億人を超え、有料会員数は４００万人規模。これは新聞の電子版で最も成功しているといわれている米紙ニューヨーク・タイムズの電子版の有料会員数（2020年末時点で約500万人）とも近い規模である。つまり、数百万人規模の（有償）ユーザーを対象とする領域であれば、コンテンツも含めた垂直統合型のビジネスモデルを構築することでGAFAのようなメガプラットフォーマーとの直接対決を避けた形で、BtoC型のプラットフォームビジネスの展開が可能になるといえる。

このほか、同様のニッチBtoC型プラットフォームの日本での成功例としては、パーク24グループが運営する「タイムズカー」のサービスが挙げられる。様々なビジネスモデルが登場しているモビリティーサービスの中でも、タイムズカーが取り組むカーシェアリングはそのビジネスモデル上の制約から一定以上の人口密度が見込めるエリアでないと事業採算的に成立が難しく、その意味で先進国の中でも都市部に人口が集中している日本は、世界有数のカーシェアリング大国となっている。運営するパーク24グループは圧倒的なトップ事業者であるが、彼らの最大の強みは、自社が別事業として展開しているコインパーキングの駐車場を活用することで、カーシェアリング事業としては最大のコスト要因である駐車場代を内部コスト化できていることにある。つまり、コインパーキング事業という単独で収益化可能な既存アセットを持っていることが最大の強みとなっているのである。ちなみに、タイムズカーの会員数も100万人強といわれる。そのビジネスモデルの性質上、グローバル展開の難しさはある（実際に同グループも海外展開では苦戦している）が、逆に言えば、日本の国内市場にも海外のプレーヤーが参入しにくいともいえる。このように場所依存性があるローカルソリューションビジネスに対して、ニッチBtoC型プラットフォームは転用できるともいえる。

以上をまとめると、日本企業が勝負できるニッチBtoC型プラットフォームの要件としては、次の2つが考えられる（**図3-19**）。

要件①：（GAFAなどの大手プラットフォーマーから見て）会員数が限定的＝有料会員数が最大数百万人規模

要件②：ハードウエア、コンテンツ、関連ビジネスなど、単体で収益化可能な別事業をベースにして、垂直統合的にプラットフォームビジネスを展開している（換言するとプラットフォームビジネス単体での収益化を目指していない）

図3-19　ニッチ特化プラットフォーム（ニッチBtoC型）の成立要件

要件①	（GAFAなどの大手プラットフォームから見て） 会員数が限定的＝有料会員数が最大数百万人規模
要件②	単体で収益化可能な別アセット（ハードウェア、コンテンツ、 関連ビジネスなど）をベースにして、 垂直統合的にプラットフォームビジネスを展開

出典：ADL

こうした要件がクリアできれば、日本企業であってもBtoC型のプラットフォーム（を含む）ビジネスでも勝機があるといえそうだ。前者の会員数の観点からは、タイムズカーのように、単純に日本国内だけを狙うという選択肢もあり得るだろう（例えば、言語および内容的に国内フォーカスにならざるを得ない日本経済新聞社「日経電子版」の有料会員数は2021年1月時点で約76万人である）。

そしてもう一方の、BtoB特化型プラットフォームにも、こうした2つの要件は当てはまる。BtoB特化型プラットフォームを具体的に見ていくと、まず法人顧客を対象とする時点で対象顧客数はBtoC型のプラットフォームビジネスよりも限定される。加えて、「単体で収益化可能な別事業をベース」にするという観点から最も分かりやすいのは、既存の強いハードウエアビジネスを起点に考えるというアプローチである。いわゆるIoTベースのソリューションをプラットフォーム化するというアプローチであるが、こうした取り組みは、日本勢がハードウエアビジネスとして競争力を保っている建設機械やFAの世界などにおいて、近年様々な試みがなされている。

代表例としては、建機の領域でいえばコマツの取り組みがある。コマツはもともと2000年代初頭から、自社建機に通信端末を搭載し、「コムトラックス」と呼ばれる独自の建機稼働管理サービスの展開で先行していた。このサービスはあくまで自社製の建機に閉じたものであり、その収益モデルも自社建機向けのアフターサービスビジネスの拡大や、顧客である建設事業者やレンタル事業者の生産性改善にフォーカスしたものだった。その一方で近年は、建設プロセス全体の一層のデジタル化による生産性向上を目指してNTTドコモなどと連携し、建設情報流通のオープンプラットフォームとなる「LANDLOG」を構築。さらにはこのプラットフォーム上のデータを基にして、中小の建設事業者向けの決済・保険・リースといった金融ビジネスを展開するための新会社ランドデータバンクを共同設立するなど、着々とその業容をプラットフォームビジネスへと広げつつある。

またFAの領域でいえば、工作機械向けの制御装置（CNC）で圧倒的な世界シェアを持ち、近年は産業用ロボットの事業にも注力しているファナックが、コマツと同様にまずは「FIELD（Fanuc Intelligent Edge Link & Drive）system」として、自社製品のデータに他社製の装置からのデータも加えてエッジ（工場現場）側で処理して高度活用できるプラットフォームを立ち上げた。さらに昨年には元親会社の富士通やNTTコミュニケーションズなどと共同で、工作機械業界を中心とした製造業のDX（デジタルトランスフォーメーション）実現のためのクラウドサービスを提供する新会社DUCNETを設立するなど、コマツ同様にその業容をプラットフォームビジネスに広げつつある。

既存のハードウエアビジネスから見れば、このようなプラットフォームビジネスは、いずれハードウエアの性能戦だけでは差異化が難しくなることを見越した「守り」の面もある。しかし、逆に言えば高い市場シェアを有するハードウエアとその既存顧客がアセットとなって、GAFAを含めたIT系の大手プレーヤーなどによる新規参入の参入障壁になるともいえる。このようにBtoC、BtoBいずれにしても、自社の既存アセットの強みが生きるコアな顧客層を明確にした形で、ニッチトップ型のプラットフォームビジネスを垂直統合的に展開するのであれば、日本企業にとっても勝機はあるのだ。

◆勝ち残りのカギは「フラグメント化領域をあえて狙う」こと

以上見てきた日本の産業における4つの勝ちパターンに共通するのは、個別のビジネスとしては、自社の強みを生かして差異化できるニッチトップ市場で、一見ビジネスとしてスケールしにくいフラグメント化領域をあえて狙う、ということである。これは、今後も人口減少が見込まれ、GDP（国内総生産）ベースでの経済規模では相対的な地位が低下していかざるを得ない日本のポジションを前提とした場合、あえて米中が狙うような「大きな池」での競争を避けて、確実に勝てる「小さな池」を積み上げていくという、国レベルの産業政策としての差異化戦略と言ってもよい。一方で、こうした話をすると必ず出る反論は、「ニッチトップ型産業の集合体で、国（もしくは一企業）として飯を食えるのか？」というものである。個別事業としてのニッチトップ型のビジネスを組み合わせて、いかに企業全体として安定成長とバランスの取れた事業ポートフォリオを実現していくかという視点については、ここまでのSX（ソーシャル・トランスフォーメーション）やIXを踏まえたCX（コーポレート・トランスフォーメーション）の視点として次章で詳説するが、ここではIXの視点から、日本の産業全体としてこのような4つの勝ちパターンでどの程度の付加価値を生み出すことができるのかを検証してみたい。

図3-20は、年間100億円以上のEBITDA（利払い・税引き・償却前利益）を創出している中堅規模以上の日本企業を分類し、これら4つの勝ちパターンに当てはまる産業による過去5年間（2015〜

図3-20　日本経済における勝ちパターン4類型産業の貢献度（年間EBITDA100億円以上企業の2015〜2019年EBITDA累積額）

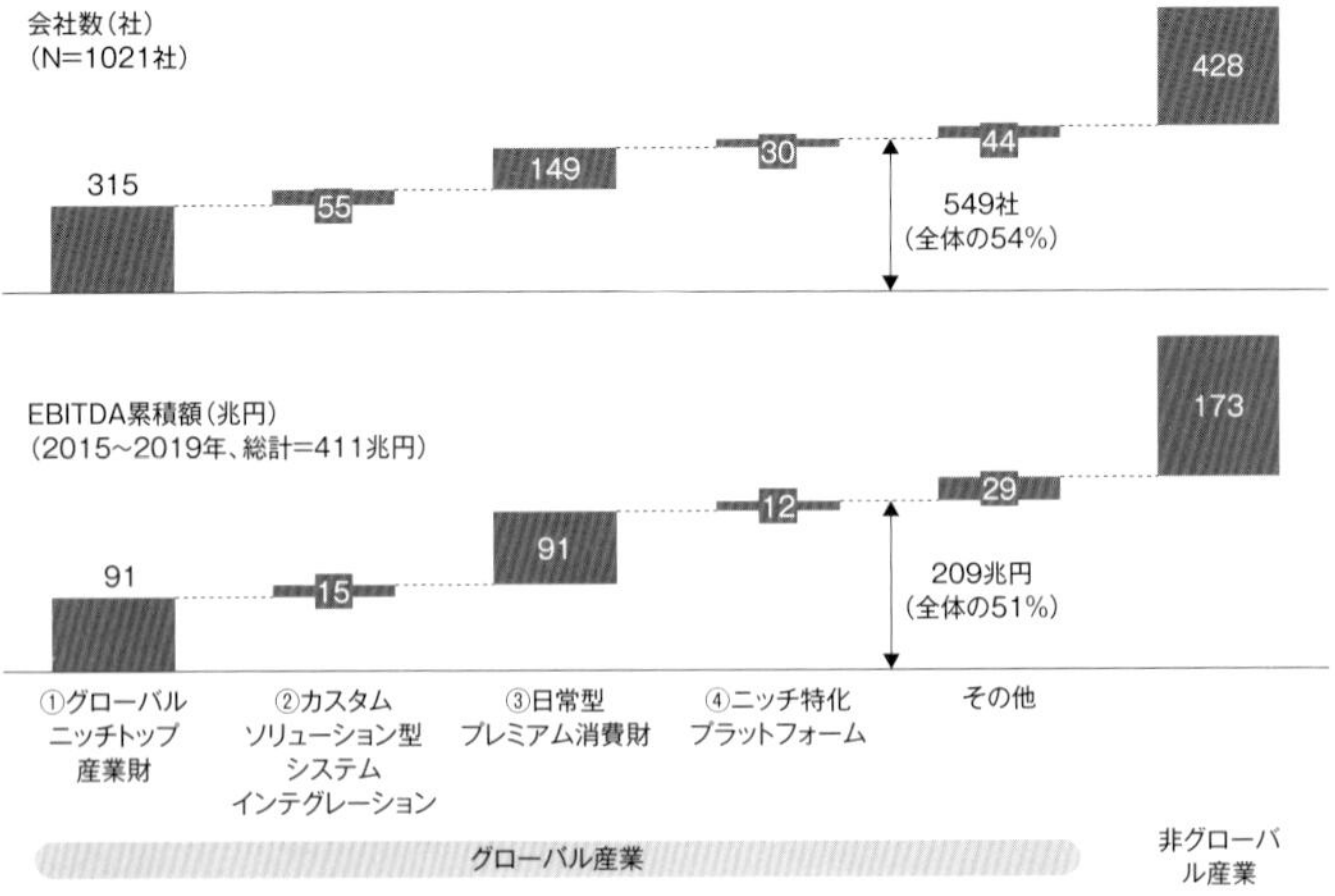

出典：経済情報プラットフォームSPEEDAよりADL分析

2019年度）のEBITDAの累積額をまとめたものである。この分析によると、約1000社ある中堅規模以上の日本企業のうち、企業数で見ても、また創出EBITDAの累積額で見ても、約半数強がこれら4つの勝ちパターンに分類される事業を有する企業群から生み出されていることが分かる。かつ、既に日本のグローバル産業からの利益の過半は、これら4つの勝ちパターンのビジネスを持つ企業から生み出されている。この傾向は、恐らく今後より強まっていくであろうことを考えると、産業政策的にもグローバルに勝てる具体的産業領域の見極めと、そこへのリソース集中の方策の検討が求められるのだ。

新たな成長ドライバーとしてのローカルソリューション産業

ここまで、変革期にあるグローバル産業の領域において、いかに日本企業が勝ち残っていけるか、という変革の方向性を見てきた。こうしたIXの中ではもう1つ、新たなビジネス領域へ乗り出すという産業創造型の変革も非常に重要になる。

◆コミュニティー形成のための社会資本整備が新たな活路に

では、主力のグローバル産業に頼った成長が限界を迎えつつある中で、日本は次の成長産業・投資機会としてどこに活路を見いだせばよいのだろうか。ここで新たな投資・成長機会となると考えられるのが、日本で急速に社会的な要請が高まっている老朽化した国内社会インフラの保全・更新や、カーボンニュートラル化や循環型社会を見据えた社会インフラのアップグレードといった分野だ。つまり、新たなローカルコミュニティー形成のための社会資本整備が、次の有望領域ということになる。

特に、これまで国や自治体など官側が担ってきた公共サービスの民間企業による代替や、インフラ整備を含めた民間企業によるコミュニティーの形成・運営、さらにはコミュニティー向けの各種デジタルサービス・インフラの提供といった新たなローカルソリューション産業の形成が期待される（**図3-21**）。特にエネルギーインフラについては、日本政府が新たに宣言した「2050年カーボンニュートラル」の実現に向け、国内における再生可能エネルギーへの投資が一段と拡大すると考えられる。

これらのローカルソリューション産業は、グローバル展開が容易だったモノづくり型産業に比べると、個別のローカライズが必要で手離れが悪く、一般的には期待収益率は（グローバル資本主義時代における）グローバル産業よりも低くなる。ただ、グローバル産業においてもカスタマイズによる差異化は日本企業の得意技になっているアプローチである（**図3-22**）。また、日本国内におけるこうした産業は、グローバル産業における海外（特に新興国）展開に比べれば地政学的なリスクは低い。非効率性が残る社会インフラサービスの領域に一旦参入して、グローバル産業で鍛えられた効率化のアプローチを適用することで生産性の向上も狙える。こうして持続可能な形で資産や事業基盤を確立することができれば、人口減の続く日本においても長期的に安定的な基盤産業・ビジネスとなり得るだろう。また、個々人の生活の質

図3-21　ローカルソリューション産業とは

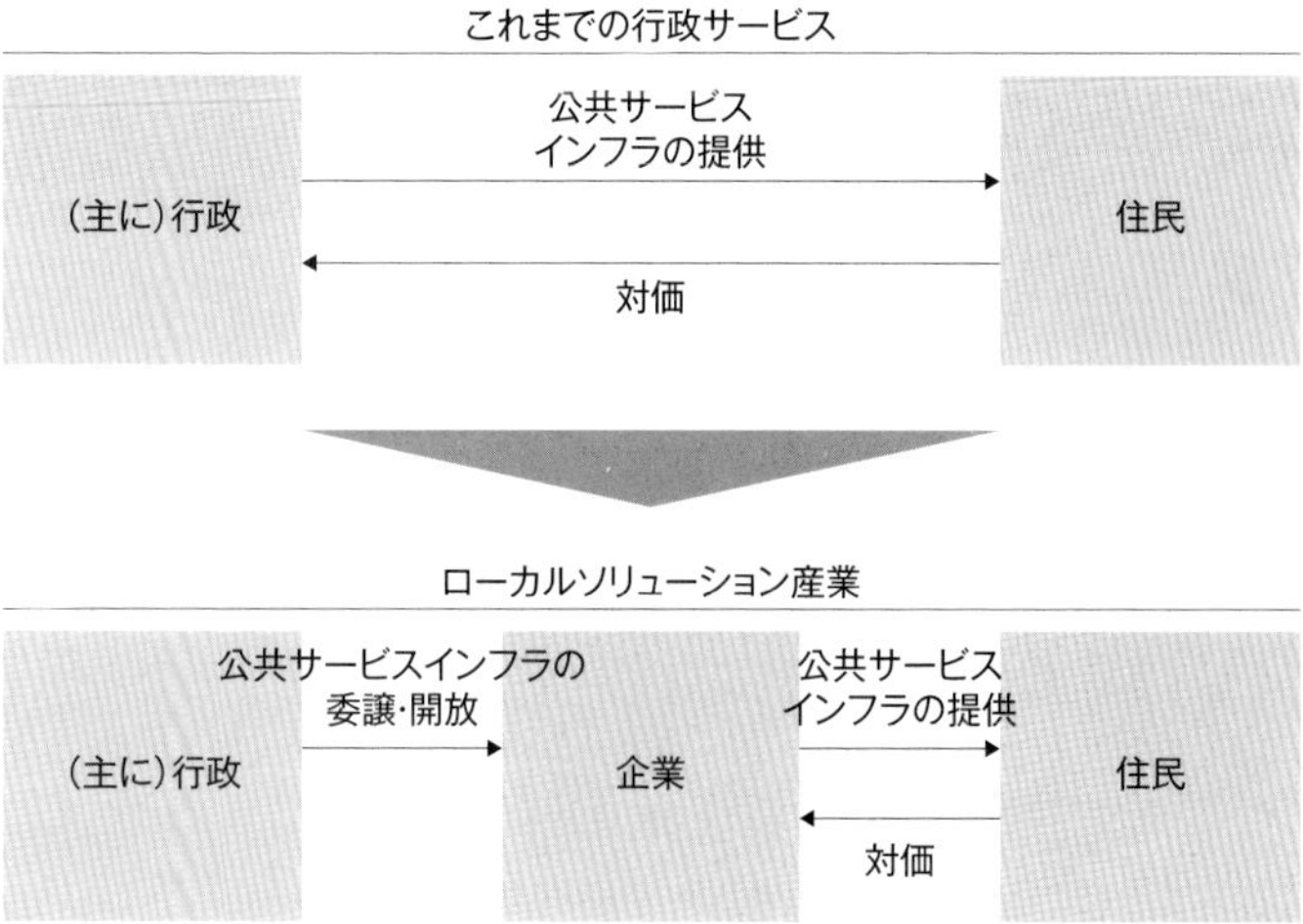

出典：ADL

の向上や社会全体としての生産性向上にもつながる中で、結果として企業側の持続可能性も高められるという意味での価値も高い。

　実際、コロナショック後の２０２０年上期の世界的な不動産市場において、海外投資家を中心にグローバルに最も投資を集めたのは日本の首都圏の不動産だった。世界全体が低成長期に入る中で、政治的・社会的な安定性が相対的に高い日本の社会インフラが、世界的に見ても再び注目を集めているのである。そうであるならば、少子高齢化やそれに伴う過疎化（人口分布の地理的不均衡）、人手不足など、まさに「社会課題の先進国」である日本で、新たなローカルコミュニティーをベースとした社会システムを確立できれば、その社会システム全体が、次の海外展開のきっかけ

図3-22　グローバル産業とローカルソリューション産業の特性比較

	グローバル産業	ローカルソリューション産業
特徴	ある程度の共通化が可能で、手離れもよい	地域ごとのローカライズが必要で、手離れは悪い
収益性	高い（が、今後は低下?）	低い（が長期にわたって安定）
差別化	生産性や効率性	地域へのカスタマイズ

カスタマイズによる差異化は日本企業の得意技

出典：ADL

にもなり得る。

現に、ローカルソリューション事業に向けた取り組みは、様々な産業分野で加速している（**図3-23**）。それは、従来から地方のインフラを担ってきた、鉄道会社やエネルギー会社、不動産会社にとどまらない。前章で紹介したように、グローバルメーカーではトヨタによる「woven city（ウーブン・シティ）」、パナソニックによる「Fujisawaサスティナブル・スマートタウン」などの動きがある。また、通信事業者のNTTグループやソフトバンクも、この分野への参入を加速している。つまり、多くの企業が今後の成長余地として、ローカルソリューション事業への関心を高めているのだ。

図3-23　ローカルソリューション型産業における企業の取り組み例

鉄道	・私鉄各社による沿線開発
不動産	・街づくりの取り組み（建物単位でなく区画単位など）
エネルギー	・東京ガスによる「スマートエネルギープロジェクト」（街単位でのエネルギー制御）
小売り	・イオンによる「千葉市との包括協定」（WAONと地域ポイントの連携など）
物流	・ヤマト運輸による「プロジェクトG」（高齢者世帯の見守りなど）
通信	・NTTグループによるトヨタ自動車などとの提携（スマートシティー分野） ・ソフトバンクグループによる東京・竹芝でのスマートシティー構築
メーカー	・パナソニックによる「Fujisawaサスティナブル・スマートタウン」 ・トヨタ自動車による「ウーブン・シティ」

出典：ADL

◆ローカルソリューション産業の担い手は誰か

では、日本で新たな成長産業となるローカルソリューションビジネスを担うのは誰か。換言すると、今後の日本におけるローカルコミュニティー形成や、そのための社会インフラ整備のための投資を誰が担うことになるのかということである。ここでは特に、「民間部門の中でどの産業が担い手となり得るか」という視点で考えてみたい。

日本国内における次世代コミュニティー形成に向けた社会インフラ整備などへの投資や運営の担い手として、考え得るプレーヤーの全体像は**図3-24**のようになる。

次世代コミュニティー形成の中で今後更新・再構築が必要となる社会インフラ機能としては、大きく「エネルギー」「モビリティー」「ICT（情報通信技術）」と、これらを束ねた「コミュニティー」（タウンマネジメント）の機能が考えられる。現状で、これらの機能の民間企業側の担い手としては、「エネルギー」であれば電力会社・ガス会社、全国にガソリンスタンド網を持つ石油会社などが挙げられる。また「モビリティー」では、人の輸送を担う鉄道会社、タクシー・バス会社、航空会社、また広くモノの移動まで含めれば物流会社などもある。「ICT」では通信会社やIT企業、「コミュニティー」では運営を含めた街づくりを担う不動産会社（デベロッパー）などとなる。加えて、これらのインフラ関連事業を広く手掛ける企業としては、総合商社も存在している。また現状ではこれらインフラの保有・運営には大きく踏み出していないものの、インフラ設備の開発・製造を手掛けている幅広い業種にわたるメーカーや、建設会社（ゼネコン）も重要なステークホルダーとなり得る。

足元でユニコーン（企業価値が10億ドル以上の未上場企業）がなかなか育たないという日本のスタートアップエコシステムの現況を踏まえると、米国のＧＡＦＡ、中国のＩＴ大手ＢＡＴのような社会インフラ領域への投資余力を持つような新興企業が、向こう10～20年の時間軸で日本で現れることは残念ながらなかなか考えづらい。とすると、先に挙げたような日本の既存企業の中から、次世代の社会インフラの形成をリー

図3-24　日本国内における次世代コミュニティー形成の担い手候補産業

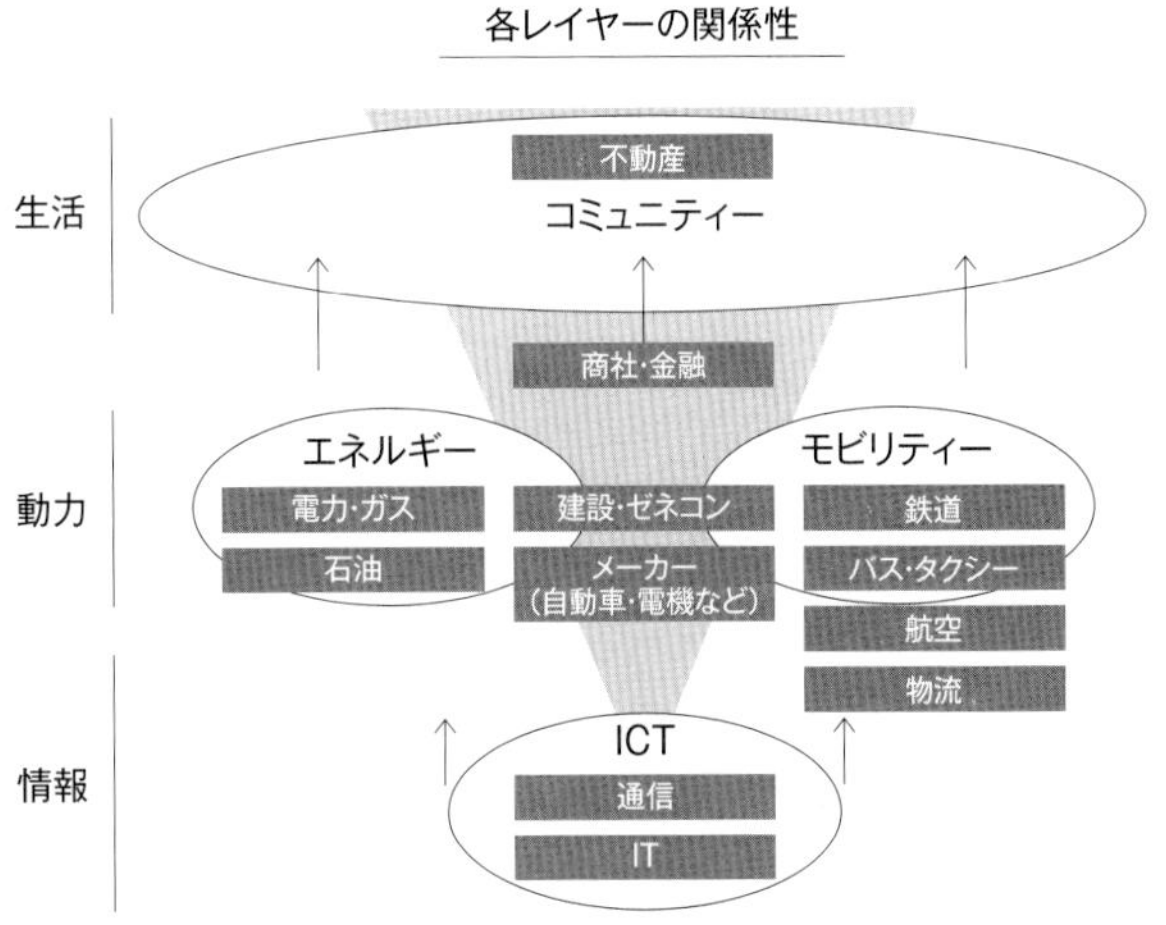

出典：ADL

ドするプレーヤーが現れる形になると考えるのが現実的だろう。

そこで以下では、まず各産業における可能性を展望した上で、特にどの産業が次世代コミュニティー形成をリードし得るかを考察してみよう。

◆①コミュニティー形成の実績を持つ「鉄道会社」の可能性

過去からの実績として、最も広く国内における都市開発やコミュニティー形成に携わってきた実績を持つのが鉄道会社。中でも全国各地の私鉄各社であろう（**図3-25**）。明治維新以降100年以上にわたり、鉄道の敷設から沿線の不動産開発、さらには沿線域内での小売り事業や家庭向けのケーブルテレビ・インターネット接続サービスなどのICT関連事業、駅から先のラストマイルを担うバス・タクシー事業などを面的に担ってきた。こうした日本の私鉄モデルは、世界的に見ても民間資本を活用した都市・インフラ開発の事例として注目を集めている。また、最近は本業のモビリティー周りで、鉄道・バス・タクシーなど複数の交通モードをシームレスに連携させて利用者の利便性を向上させる次世代移動サービス（ＭａａＳ）を展開するなど、次世代コミュニティー向けサービスにも布石を打ちつつある。

一方で、郊外を中心とした沿線人口の高齢化・減少やコロナショックを起点にしたリモートワークの広がり、公共交通から自家用車などプライベートな交通手段へのシフトなどにより、本業である鉄道事業のベースとなってきた各都市圏における郊外から都心への通勤移動需要が頭打ちになっている。こうした中で、鉄道会社はポストコロナの世界においてもコミュニティーのリアル側を担う主役であり続ける可能性は高いものの、事業構造の転換を迫られることにもなっている。今後は、リアルを前提とした都市開発で稼ぐ従来的な私鉄モデルから、例えば交通ネットワーク上の各地をデジタル上でもつなぎ合わせてリアル需要を喚起するなどの、DXを前提とした次世代型私鉄モデルなどを展開していくことになるだろう。

こうした観点から今後注目したい流れは、「公共交通指向型（都市）開発」（TOD：Transit-Oriented Development）と呼ばれる概念のさらなる進化だ。TODとは、駅を含む公共交通機関を基盤として、過度に自動車に依存しない社会を目指した街づくりを意味している。簡単に言えば、公共交通・駅・街を一体として考えた街づくりである。

図3-25　鉄道会社によるコミュニティー形成への取り組み

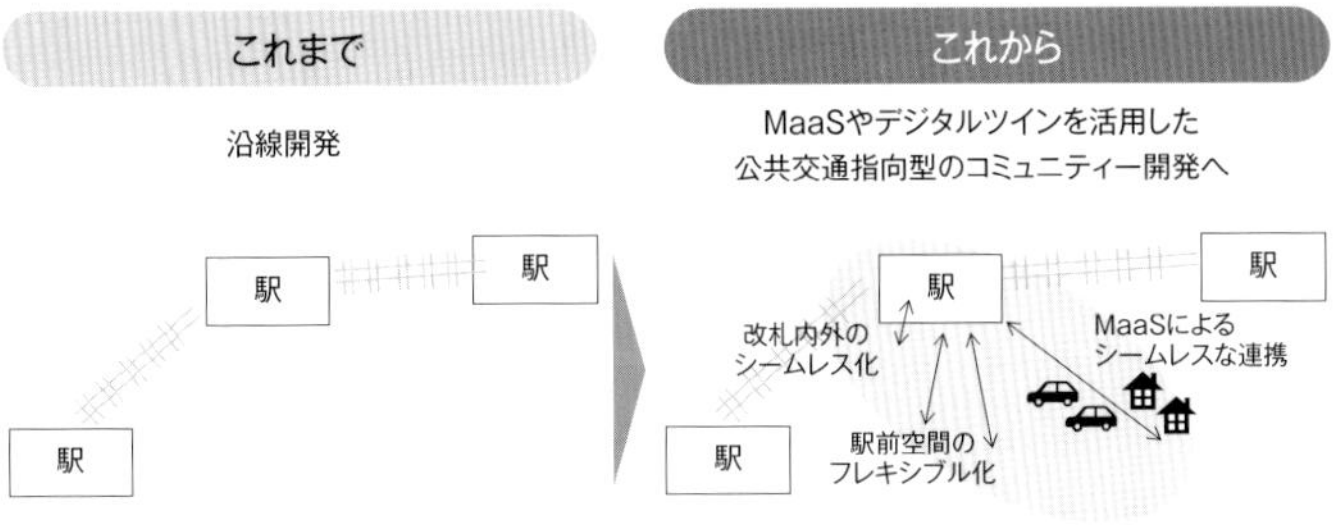

出典：ADL

実は昨今の技術進化は、ＴＯＤのさらなる進化をもたらす可能性がある。例えば、ＭａａＳの発展に伴って、住民にとっては移動手段を区別する意味合いもなくなっていく。自家用車とカーシェアの境目でさえもだ。改札からの人流やタクシーの待機・物流の荷下ろしなどで刻々と状況が変わる駅前空間も、人流や物流をデジタル空間上でデジタルツインとしてシミュレーションできれば、状況に合わせてリアルタイムに駅前空間を整流化できるようにもなるだろう。また、「顔認証改札」が一般化すれば、駅構内において改札内と改札外という境目すらなくなるかもしれない。このように駅前と駅ナカ、改札内外の境目がなくなることで、移動（交通）と暮らし（街）をより統合的に捉えたコミュニティー開発も可能になってくる。

また、次世代コミュニティー形成に向けた鉄道会社の貢献の可能性は、単に交通だけが起点になるわけではない。鉄道会社は発電設備や送配電設備など、電力関連のアセットも多く保有している。また、鉄道車両はブレーキで発生する回生電力を生み出す発電機・蓄電池でもある。今後の人口減や新型コロナの影響による移動量の増減によって、これらの電力アセットには余剰も生じ得る。そこで、例えば駅周辺・路線周辺のコミュニティーにおける再生可能エネルギーの需給状況に合わせて鉄道会社が有する電力アセット余剰を適切に提供することで、路線の周辺エリアまでを含めたエネルギー調整にも寄与できる可能性がある。脱炭素に向けて自社の省エネ・再エネ率の向上に取り組む鉄道会社は増えているが、その対象範囲を自社だけでなくコミュニティーにも広げていくことで、鉄道会社はモビリティーの観点からもエネルギーの観点からも次世代コミュニティー形成をリードしていける可能性があるのだ。

◆②電力・石油・ガスの既存「エネルギー事業者」も有力

次世代コミュニティーを支える社会インフラの中で、質的に最も大きな転換が迫られることになるのが、エネルギーの領域である（**図3-26**）。すなわち、カーボンニュートラルの流れの中で移動体や熱源の電化、水素利用が進むとともに、電力も化石燃料や原子力をベースとした集中発電＋広域送配電網の中央集権型電力供給システムから、再生可能エネルギーによる発電をベースにした自律分散型の地産地消システムに大きく変わっていくことが予想されている。このような中で、最も大きな変革を迫られるのは電力業界であるが、従来型の電力システムをもともと事業基盤として持つため、このエネルギー転換の文脈の中では、どうしても守勢に回らざるを得ない立場となる。特に、その国内最大企業である東京電力が、２０１１年の東日本大震災に伴う福島原発事故により事業・財務基盤を大きく棄損した。一旦国営化された上で大幅な事業構造の変革を進める途上にあり、欧州のように電力業界自らがこのエネルギー転換を主体的に進められるような余裕がないというのが現状である。

また石油会社各社も、もともと国内の人口減少とエンジンの燃費改善による需要減少の中で既

図3-26　エネルギー事業者によるコミュニティー形成への取り組み

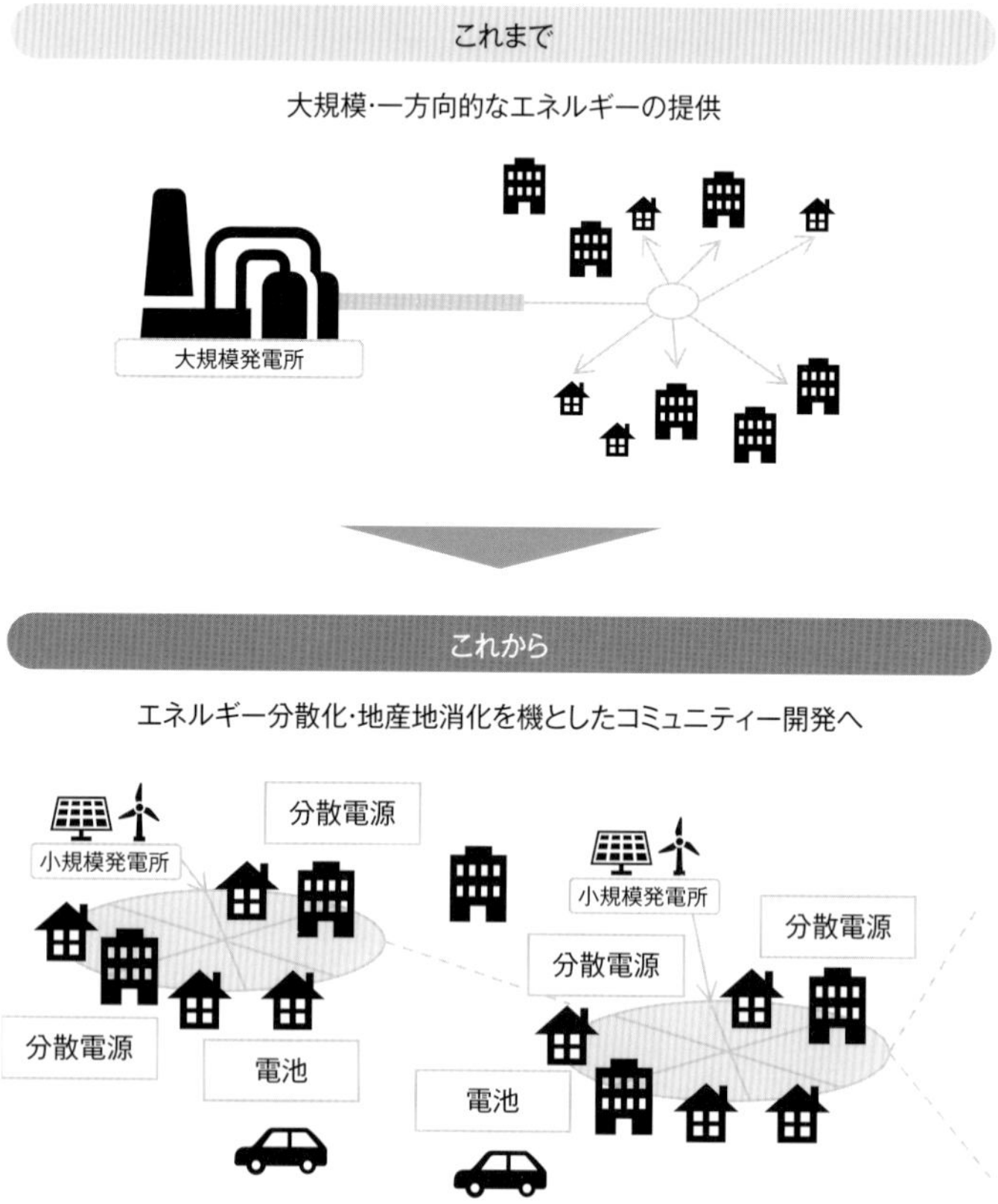

出典：ADL

に守勢に立ちつつある上に、カーボンニュートラルの目標前倒しなどにより将来的な電動車の普及が日本においても不可避な状況になりつつある。結果として、自社の既存の事業アセットであった石油精製設備とガソリンスタンド網が共に座礁資産化のリスクにさらされており、抜本的な事業構造の転換が求められる立場に置かれているのだ。こうした中で、川下領域の素材事業の強化やそのカーボンニュートラル化と水素チェーンの構築、またガソリンスタンドを起点とした各種モビリティーサービスの提供など様々な可能性を模索している段階にある。このため次世代コミュニティーの形成の流れの中でも、本業周辺の社会インフラ領域への展開が中心になるとみられる。

一方で投資余力の観点では、これら電力・石油業界には見劣りするものの、再生可能エネルギーと分散型のエネルギーインフラの普及を見据え、独自のポジションを取りつつあるのがガス業界である。化石燃料である天然ガスの供給を本業とするという意味では、ガス業界も電力や石油業界と同様に事業構造の転換が求められてはいるが、ガスは熱供給に使われることが多く、電力以上に再生可能エネルギーへの転換が難しいことがあり、エネルギー転換までに相対的に時間がかかる可能性が高い。ただしその一方で、エネルギー転換を見据えて、以前から分散型の電力＋熱供給一体型のコジェネレーションシステムや家庭用燃料電池など分散型のエネルギー供給システムを開発・提供するなどの手を打ってきた。

最近では、新規参入の電力小売り事業をてこに、定置用の蓄電池を用いた電力ソリューションを提供するなど、電気も含めた総合エネルギープロバイダーへの転換を目指している。また、その先の水素社会を見据えて、天然ガスからバイオガスや水素への転換なども考え得る立場にある。地方のプロパンガス業界なども含めると、電力よりもより分散的な形でエネルギー源の供給を担ってきたガス会社は、より地産地消化が進み自律分散型となる次世代コミュニティーにおけるエネルギーインフラの担い手となり得るポジションにいるともいえるだろう。

◆③投資余力が大きな「通信事業者」は主役となる有望株

ICT系業界の中では、米グーグルや中国アリババグループなど米中のITプラットフォーマーが、新たな投資領域の1つとしてスマートシティーへの投資を競っている。こうした中で、そもそもIT企業よりも通信会社の方が大きな投資余力を持つ日本においては、次世代コミュニティー形成に向けたカギを握るのは、NTTグループやソフトバンクグループのような通信事業とIT事業を両輪で持つ事業者ということになるだろう（図3-27）。こうした通信事業者は、もともと安定的に収益を上げられる巨大なリカーリング（継続課金）ビジネスとなる「固定+移動体通信」のビジネスを基盤にしており、潤沢なキャッシュフローを持つ。さらに通信インフラは、コロナショックによるリモートワークの定着などもあり、社会インフラとしての重要性が高まった。加えて、世界的なロックダウンなどの影響で多くの企業が打撃を受ける中でも増益になるなど、今後の投資余力の観点からも、他のインフラ事業者などより相対的に力を持つ可能性が高い。

特にNTTグループの場合には、傘下にNTTデータなど有力システムインテグレーターを擁し、海外の通信キャリアに比べても多角化が進んでいる上に、元国営企業という観点から、社会インフラ事業への組織風土的な親和性も高いといえる。実際にNTTグループでは、太陽光など再生可能エネルギーベースでの発電事業や蓄電池をベースにしたVPP（バーチャルパワープラント）事業などエネルギーインフラ領域への参入を積極的に進めている。グループ傘下ではNTT都市開発などが不動産事業も手掛けているし、またNTTドコモやNTT西日本などは各地域においてMaaSなどのモビリティー領域への展開も視野に入れて多くの実証実験を展開している。このほかではソフトバンクグループも、東京・竹芝の新本社ビルの開発で培ったスマートシティーのシステム構築・運営ノウハウを、今

図3-27　通信事業者によるコミュニティー形成への取り組み

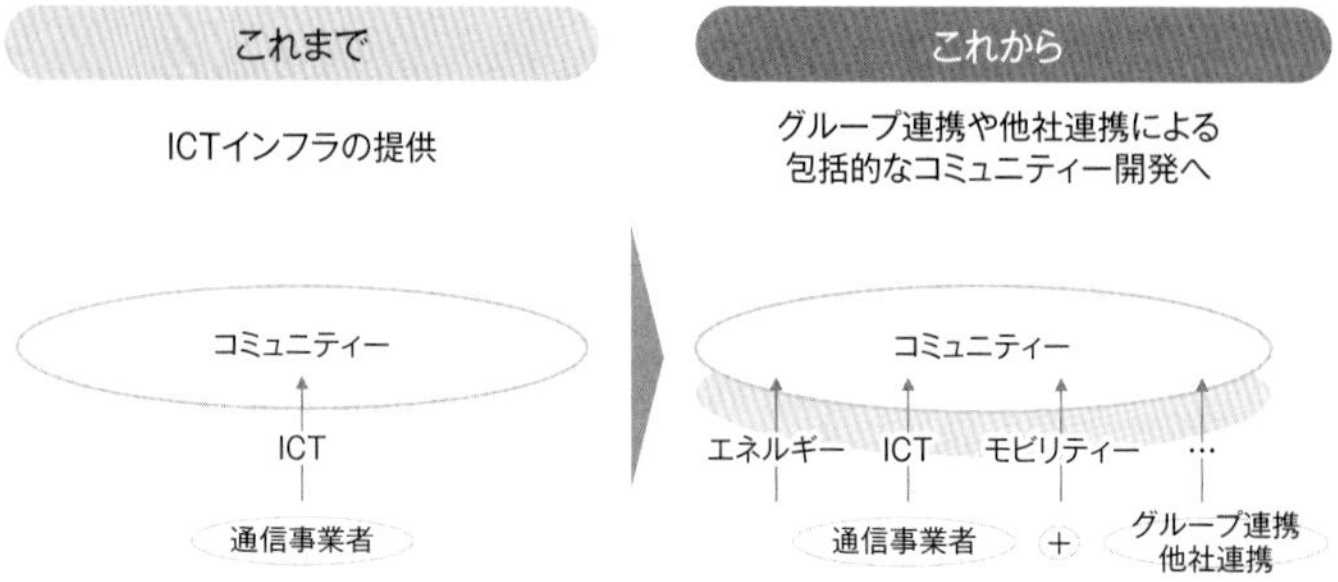

出典：ADL

後のコミュニティー開発に横展開していくことを発表している。

2000年ごろのインターネットバブルの頃には、成長する通信インフラ事業の領域に対し、電力業界など本業が比較的安定していた異業種からの新規参入が相次いだ。これに対して現在は、エネルギー転換と新たなローカルコミュニティー形成が進もうとしている中、通信事業者がエネルギーなど他のインフラ領域への事業展開を図り、総合インフラ企業を目指すという逆の構図となりつつある。ポストコロナで通信インフラがより重要な社会インフラとなっていく中で、NTTなどの大手通信事業者は次世代コミュニティー形成をリードし得る存在ともなってきているのだ。

◆④それぞれに強みを持つ「不動産・総合商社・小売・物流」

鉄道・電力業界と同様に国内における都市開発に積極的に関与しているのが、不動産会社や総合商社、小売業界である（**図3-28**）。不動産会社は文字通り、従前からの都市開発の日本における最重要プレーヤーである。中でも街づくりの計画・構想から建設段階でのプロジェクトマネジメント、さらには完成後の不動産の保有・運営・保守など、不動産に関わるバリューチェーンを一気通貫で手掛ける総合デベロッパーという業態自体が日本固有のもの。これまで日本における都市開発の中で、大きな役割を果たしてきた。また三菱地所や三井不動産など、全国的に事業展開する旧財閥系を中心とした大手デベロッパー以外にも、各地域に根差した地場の不動産会社や地方財閥ともいえるような複合企業も各地に数多く存在している。

　このほか、多くの総合商社も同様の不動産・都市開発事業を手掛けている。加えて各社とも、特にエネルギーや最近ではモビリティーインフラに関わる領域で、社会インフラ構築などの事業を改めて強化しようとしている。

　一方で小売業界も、不動産事業の一形態として郊外型のショッピングモールの開発や、地方も含めた各コミュニティーにおけるエンドユーザーのタッチポイントとしてのコンビニエンスストアなど、次世代コミュニティーにおけるハブ拠点やネットワークを持つという意味で、重要なプレーヤーになり得る。例えば、イオンは２０１１年度から千葉市と包括提携協定を結んでいるが、その目的は千葉市の一層の活性化と市民サービスの向上に向けて、双方が有する資源を有効に活用することにある。「デジタリゼーション」「モビリティー」「ヘルス＆ウェルネ

図3-28　不動産・総合商社・小売・物流事業者によるコミュニティー形成への取り組み

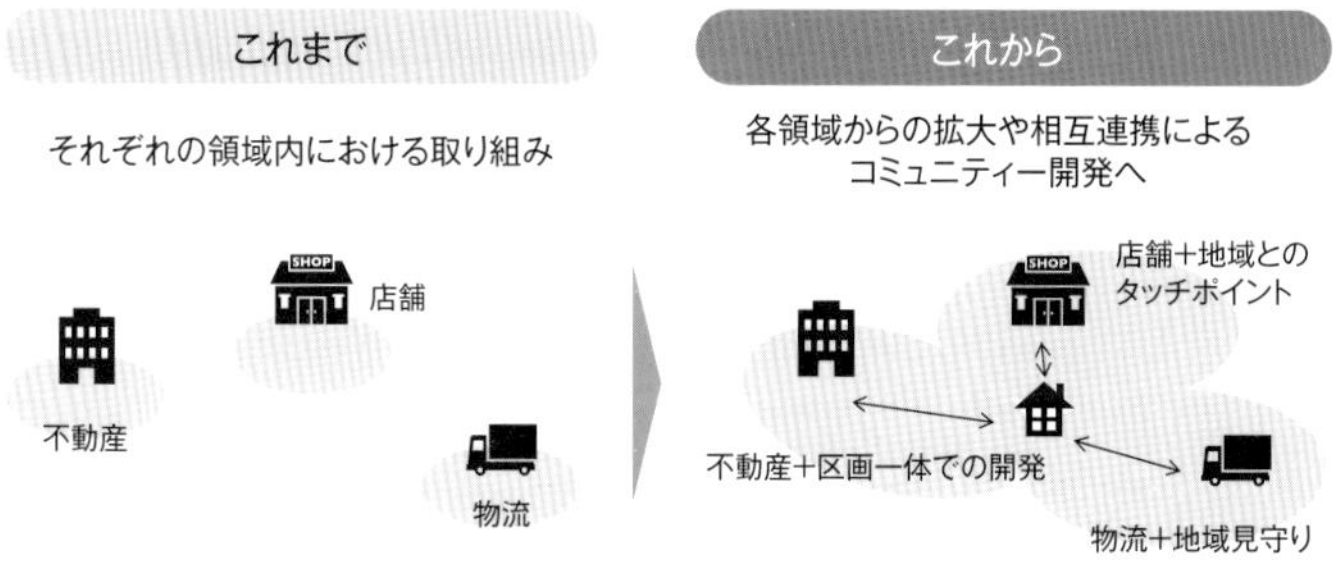

出典：ADL

ス」「ポイント・バリュー」を4つの柱として掲げており、同社の電子マネーである「WAON」と地域ポイント（ちばシティポイント）の連携などに取り組んでいる。まさに行政と企業の協力による次世代コミュニティーを目指した事例といえよう。小売業界においては、かつて大型商店が地場の商店街を破壊し、地域の衰退を招くとの批判もあった。一側面ではそれは事実であっただろうが、今後は地域コミュニティーの中での小売業界の新たな位置づけの模索が進むだろう。

また小売業界のほかにも、物流のラストワンマイルを担う宅配業界も、次世代コミュニティー形成をリードし得る重要プレーヤーである。同業界は地域に密着しており、また各世帯の玄関まで出向いて住民ともコミュニケーションできる希少な存在でもある。

その代表としてのヤマト運輸は、2010年から「プロジェクトG（本業を通じた社会貢献を意味し、Gはガバメントの略）」という構想を掲げ、一人暮らし高齢者の見守りに全国各地で取り組んできた。高齢者の孤独死などの社会問題は、子供世代や行政だけでは対応しきれない状況になっている。そこで、同社は地方自治体とも連携しながら、宅配便のネットワークを活用した見守りに取り組んできたというわけだ。

最近ではIoT内蔵電球も活用し、より早期の異常検知にも挑んでいる。さらに、同社はバス会社と連携して、物流と人流を一体化する貨客混載（同社は「客貨混載」と称する）の運行も開始しており、コミュニティーにおける人・モノの流れの両方を支えられる存在になりつつある。また、物流拠点への太陽光発電設備の導入や配送トラックのＥＶ化なども進めており、将来的には物流会社の枠に閉じない地域コミュニティーの担い手になり得ると考えられる。

◆⑤資金とノウハウを持ち込む「グローバルメーカー」（自動車・電機など）

鉄道・エネルギー・通信といった既存の社会インフラ産業が変革の時を迎える中、こうした社会インフラ分野への新規参入を虎視眈々《たんたん》と狙っているのが、これまでグローバルに事業拡大をすることで、大きな投資余力を手にした自動車や総合電機などの大手メーカーである（図3-29）。一方でこれらグローバルメーカーは、その成長の前提となってきたグローバル資本主義が退潮し、新興国へのこれ以上のグローバル展開による成長が限界を迎えつつある中で、これまでの海外展開に頼った勝ちパターンからの転換と、新たな成長機会を探す必要性が出てきている。そこで各社とも「モノづくりからコトづくりへ」といったキーワードを掲げ、ソリューション事業への展開を模索している。こうした中で、その1つの可能性として考えられているのが、日本国内を中心とした次世代コミュニティー領域への事業展開なのである。

自動車メーカーで言えば、各社ともまずは本業に近いモビリティーサービス領域への参入を幅広い角度から推進しようとしている。これに加えて、トヨタ自動車のウーブン・シティに代表されるように、街全体としてのインフラ開発についても視野に入れた事業構想を描いている。総合電機メーカーでも、日立製作所やパナソニックなどが都市インフラ領域でのソリューション提供や、街づくりそのものへの参画を自社のコア事業の1つと定めて展開を図っている。少子高齢化などの影響から公的資金の追加投入余地が限られる日本において、これらグローバルメーカーが、グローバルに稼いだ利益の再投資先として、国内における次世代コミュニティー形成に乗り出すという構図だ。彼らの技術と投資力を活用して、次世代コミュニティー形成のための社会インフラを整備していくという方向性は、マクロ経済の視点からもより真剣に検討されるべきだろう。またこれらグローバルに通用するブランドと事業基盤を持つグローバルメーカーが参画することで、日本で確立された次世代コミュニティー関連事業の知見を将来的に海外事業として展開していくことも容易になるだろうし、それはグローバルメーカーにとっても新たな事業機会となり得るはずだ。

図3-29　グローバルメーカーによるコミュニティー形成への取り組み

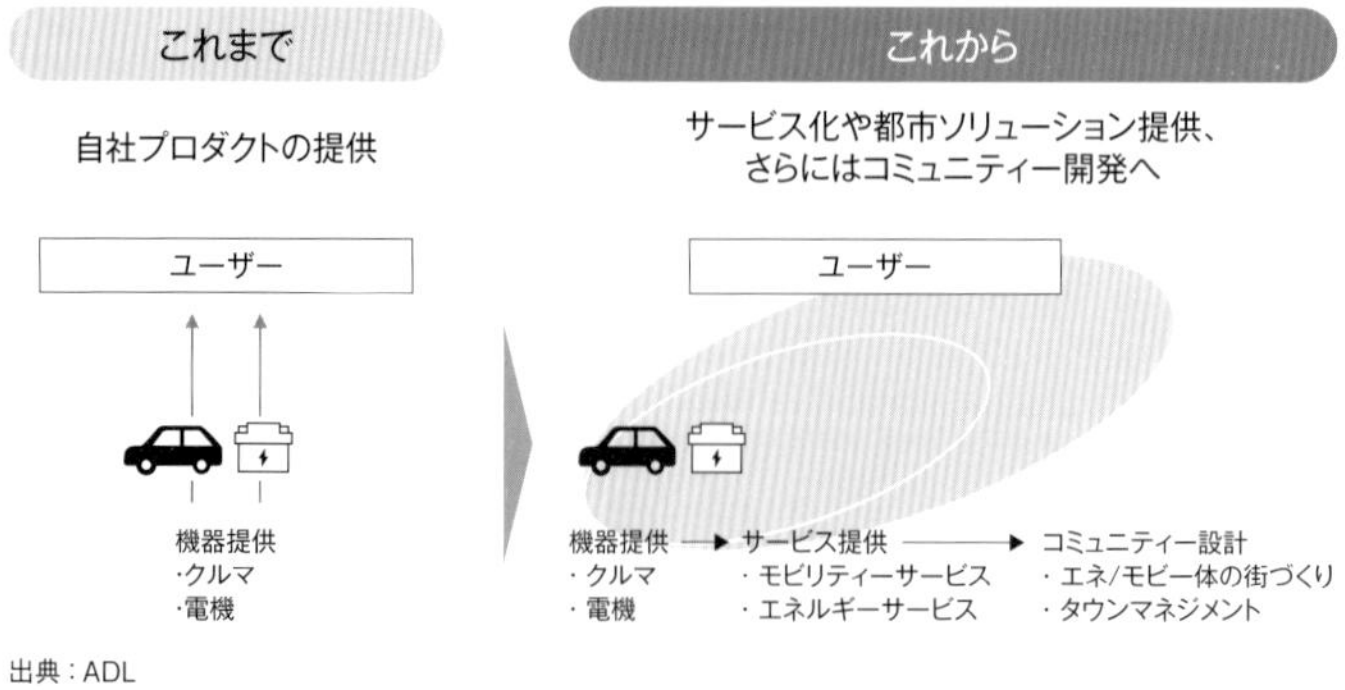

出典：ADL

◆本命は誰か

これまで見てきたように、様々な産業が次世代コミュニティー形成をリードできる可能性を持っている。それでは、どの産業が一番可能性を持つのだろうか。前述のように、既に様々な産業が本分野への取り組みを始めているのだが、ここではどの産業が投資余力を持っているのかという観点からこれを捉えてみよう。

まず、これらの産業ごとの投資余力をＥＢＩＴＤＡ（利払い・税引き・償却前利益）の２０１５〜２０１９年の累積額として示したものが**図3-30**になる。ここでの数値はコロナショックの影響が大きく顕在化する前のものであるが、トップは自動車であり、それ以外にも総合電機や自動車部品などが上位ランクインしている。やはり日本は良くも悪くもグローバルメーカーがけん引する産業構造になっていることが分かる。

自動車に次ぐ規模の投資余力を持つのが、通信、銀行の２業種である。ついで通信、銀行の半分程度の投資余力を持つのが総合電機・自動車部品などグローバルメーカーに加え鉄道、電力、不動産、小売りなどの社会インフラを担う各産業と、総合商社である。逆に日本において相対的に影響力が小さいといえるのがＩＴ産業。これは産業構造上、システムインテグレーターがその多くを占めることもあり、米中のようにＧＡＦＡやＢＡＴといったＩＴプラットフォーマーが新たな投資領域の1つとしてスマートシティーへの投資を競うような状況は考えづらい。

以上を踏まえると、次世代コミュニティー形成をリードし得る企業としては、必ずしも従来からコミュニティー開発を手掛けてきてきた不動産会社や鉄道会社のみとはいえず、投資余力を踏まえた観点からの大本命は通信事業者、次いで対抗としてのグローバルメーカーとなる。ここまでに述べてきたように、通信事業者はこれまでもインフラビジネスを手掛けてきており、最近ではNTTやソフトバンクグループがより幅広い社会インフラ分野への展開に力を入れている。また、グローバルメーカーはこれまではインフラそのものへの取り組みは限定的だったが、昨今では既にパナソニックや

図3-30　日本における産業間投資余力比較（年間100億円以上のEBITDA企業の2015～2019年累積額）

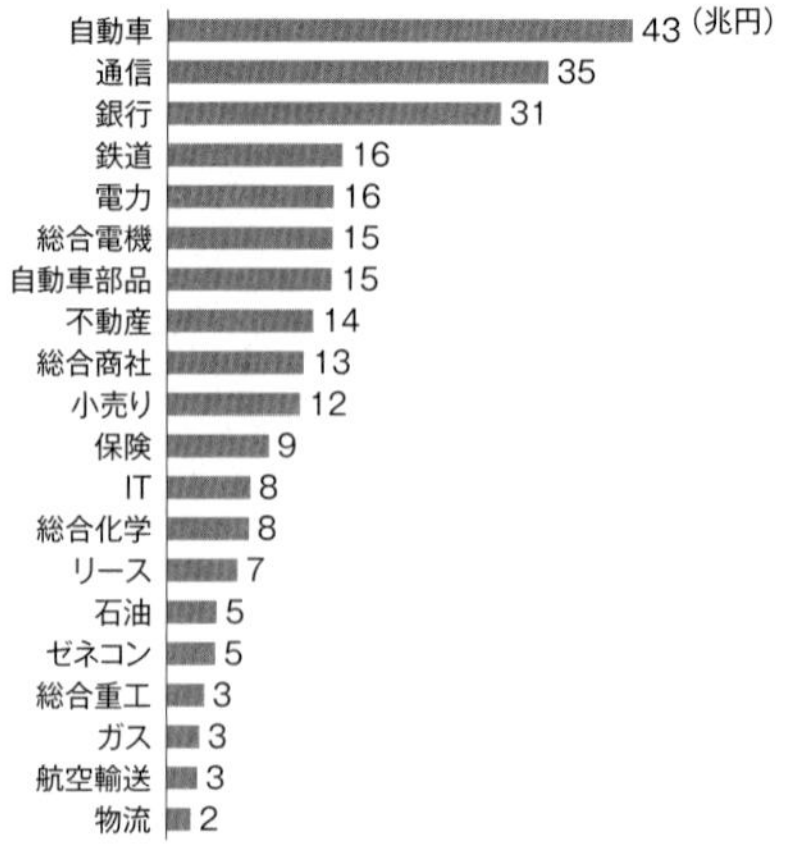

出典：経済情報プラットフォームSPEEDAよりADL分析

トヨタ自動車を筆頭として実際の街づくりを推進している（**図3-31**）。

結果として起こりつつあることは、従来からコミュニティー開発を手掛けてきた不動産会社や鉄道会社に対し、投資余力に勝る通信事業者やグローバルメーカーが新たな成長領域として参入するという構図である。こうした中で、特に質的な変化の大きいエネルギーインフラの領域が、既存事業者間の戦いも含めて、各業種間でのせめぎ合いの主戦場となっていく。加えて、これらの動きをESG（環境・社会・ガバナンス）投資のような形でマクロに啓発しつつ、個別案件への資金供給などの役割を果たすことになる銀行を中心とした金融業界が、もう1つのキープレーヤーとなるだろう。

図3-31　次世代コミュニティー形成を担う有力産業の構図

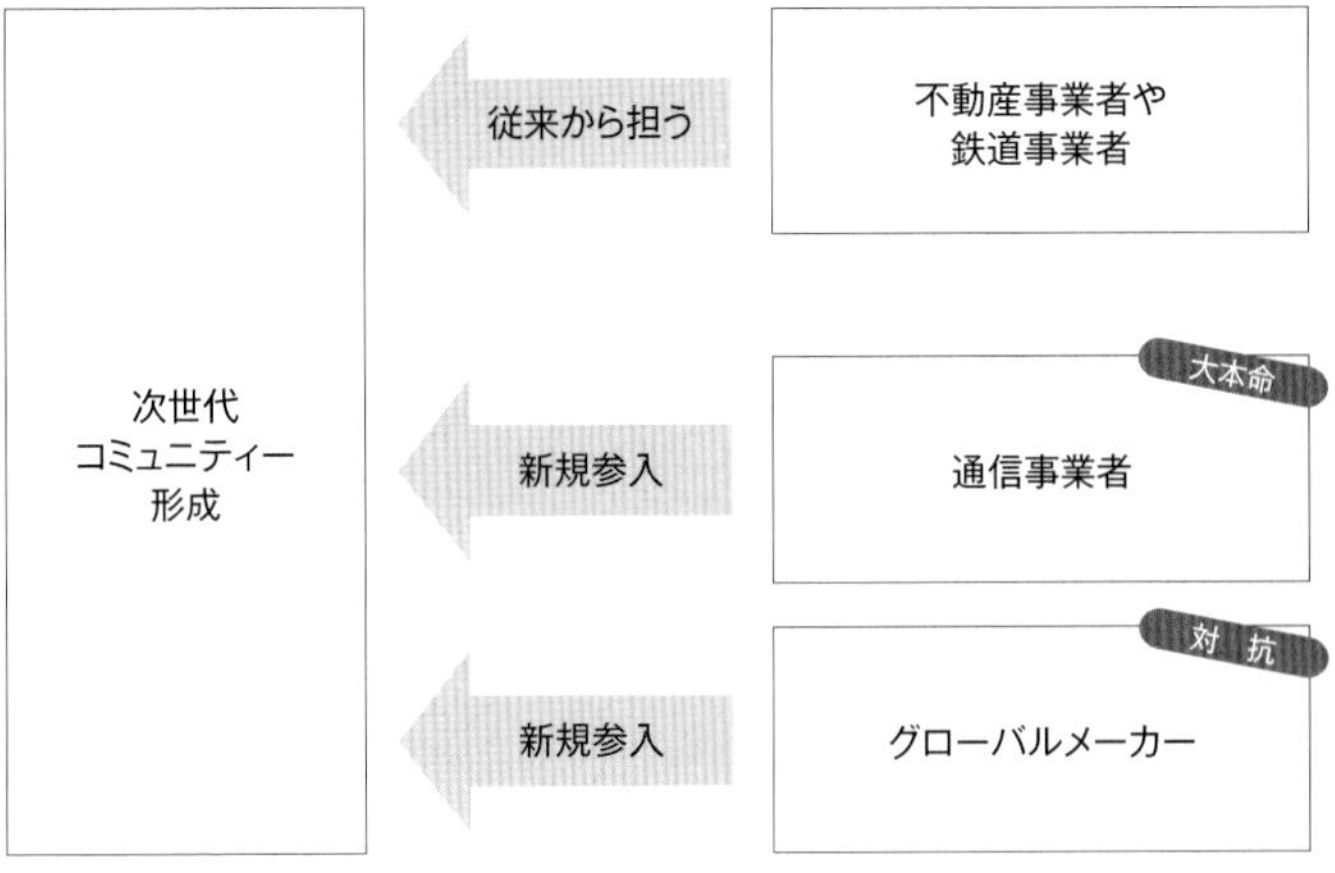

出典：ADL

特に地方金融機関は人口減や地方経済の縮小の中で、存亡の危機に陥っているとも言え、新たな存在価値をつくっていくことが必要とされている。前章で述べたように、次世代コミュニティー形成に向けては新たなファイナンススキームが求められ、それは地域ごとの事情にも左右されるだろう。つまり、地域特性も踏まえて新たなファイナンススキームの設計・実行をサポートしていくことが、未来の地方金融機関への期待でもある。そしてそれは、地域企業への投融資を中心とした現行のビジネスモデルからの脱却を意味するものでもある。

◆地域ごとにフラグメント化するローカルソリューション産業の構造

以上のような企業がそれぞれの強みやもくろみを持ちつつ、次世代コミュニティーの形成に向けて動き出している。それでは、ローカルソリューション産業はどのような構造になるのだろうか。ローカルソリューション産業はこれまでのグローバル産業モデルとは根本的に異なる。その最大の要因は、地域ごとの固有性に合わせた展開が必要になるということだ。地域ごとの地理的・環境的条件や人口動態、産業集積などを踏まえたコミュニティーデザインが重要で、個々の地域ごとのカスタマイズが必要となる。また、コミュニティーは開発して終わりではなく、そこから継続的に接点を持ち、街としての価値を高めながら、例えばタウンマネジメント・サービスフィーやソーシャル・インパクト・ボンド（ＳＩＢ）などの手段で長期的な回収を図っていく。つまり、同じモデルを手離れよくグローバルに展開できるような、スケーラブルな事業モデルではない。従って、勝者総取り的な産業構造ではなく、地域ごとに中核企業が異なる、フラグメント化した産業構造となるだろう（**図3-32**）。

さらに、各地域において、エネルギーやモビリティー、タウンマネジメントなどの広範にわたるサービスを1社単独で担うことは難しく、また、地場における既存の社会システムとも連携しながら地域最適なシステムを構築していく必要がある。これはエネルギーやモビリティーそれぞれでの個別最適化を意味するものではなく、地域住民や地域全体の観点からエネルギーやモビリティーといった枠を超えた全体最適化を意味する。つまり、各地域で全体をリードするオーケストレーターと称せるようなプレーヤーが中核となり、複数主体が

図3-32　ローカルソリューション産業の構造

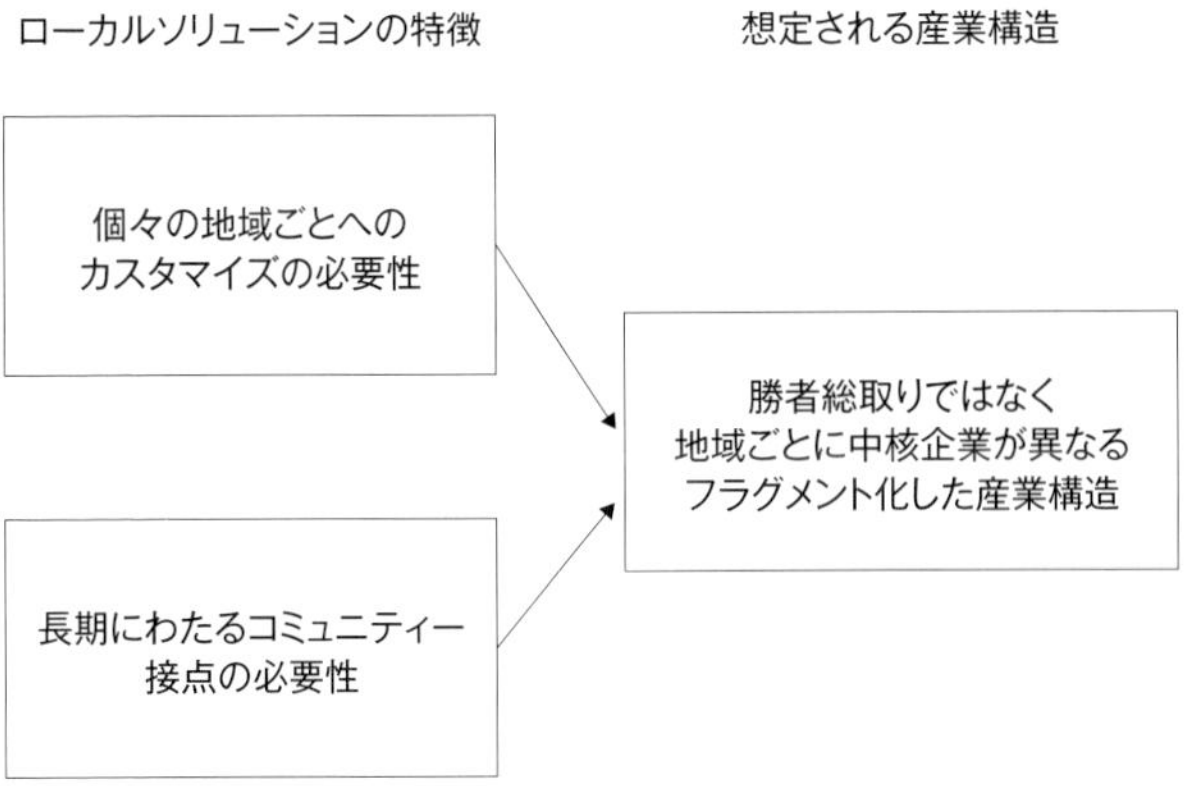

出典：ADL

連携していくような形となる。従って、いずれかのプレーヤーが支配的になるというよりも、むしろ地域ごとのすみ分けやプレーヤー間の協業・合従連衡が加速度的に進んでいくと考えるのが自然だろう。

　通信事業者はこうした合従連衡の観点でも要にもなりそうだ（**図3-33**）。特にＮＴＴグループは、ウーブン・シティ開発を推進するトヨタ自動車との提携を進めたり、三菱商事との包括提携の中でも都市開発やエネルギーインフラ領域での協業を進めたりと、オーケストレーターに近づくような動きを重ねてきている。またソフトバンクグループも、現状の基盤である通信事業に加え、トヨタとの共同出資会社であるモネ・テクノロジーズや自動運転バスを使ったモビリティーサービスを

図3-33　通信事業者（NTTグループ、ソフトバンクグループ）における次世代コミュニティー関連の提携例

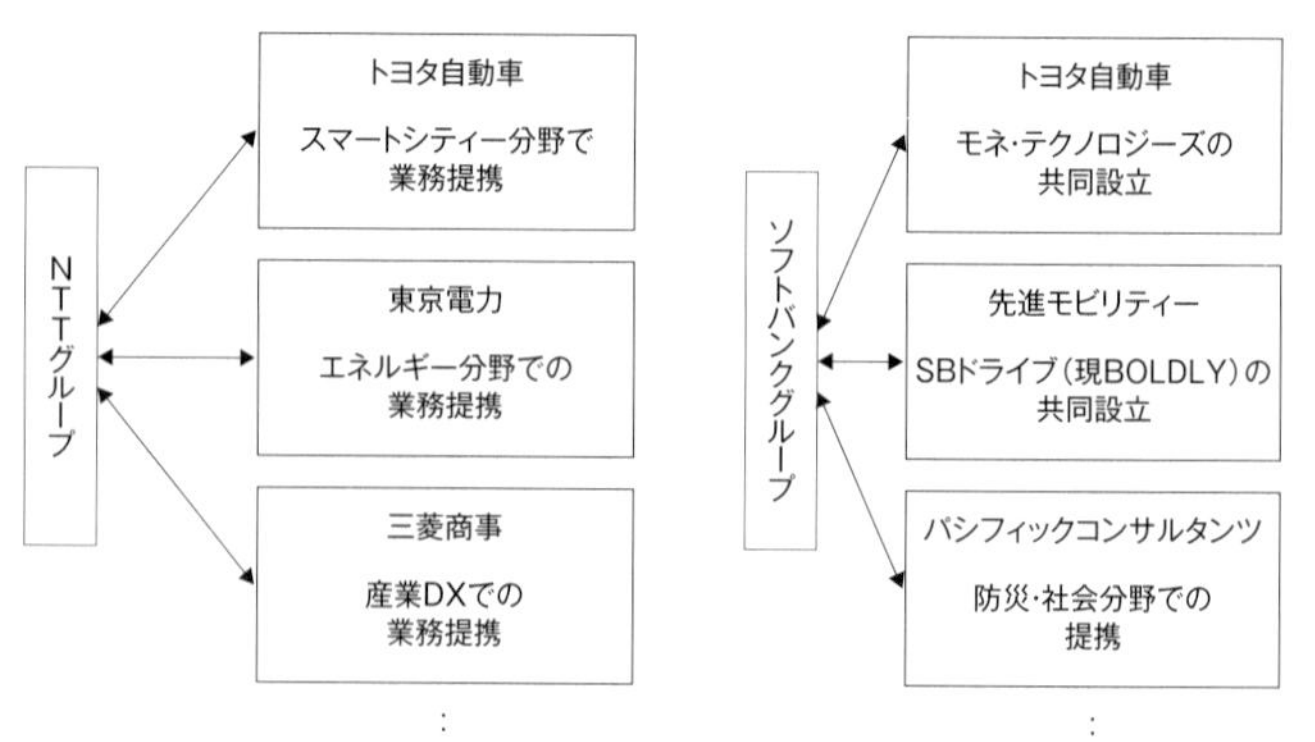

出典：ADL

手掛ける子会社のＢＯＬＤＬＹなどを通じてモビリティー領域にも積極的に取り組んでいる。再生可能エネルギー領域においても、リーマン・ショック以降10年以上にわたって独自のポジションを取ってきた。このような実績からも、次世代コミュニティー形成における通信事業者が持つ可能性は大きいといえる。

第 4 章

CX：グローバル+ローカルソリューションのバランス型事業ポートフォリオの構築

2040年の日本の「企業」の姿……

自動車専業メーカーに近かったA社が業容を大きく変えたのは、2020年代のこと。今やA社は、自動車メーカーではあるものの、世界的には次世代コミュニティー開発の先進企業として有名だ。地産地消型の再生可能エネルギー供給ビジネスやバイオ燃料製造ビジネスは、同社のもう一方の主力事業だ。

そんなA社も、経済対策や地球温暖化対策として世界的に加速した「カーボンニュートラル」のトレンドの中で、もともとエンジンの技術力が売り物で電動化への対応が遅れたこともあり、一時は生き残りが危ぶまれた。そこで当時の経営陣が進めたのが、本業の自動車事業における車種セグメントと展開地域の絞り込みと、同社の強みだった変種・変量に対応可能なモノづくり力やデジタルエンジニアリング力を組み合わせたビジネスモデルの多軸化だった。現在自動車関連では、電動化対応については事実上のオールジャパンの体制下で電池などのキーコンポーネントを共用化しつつ、さらにBtoBビジネスとなるカスタマイズ電動車の開発・製造受託や、バイオ燃料などに幅広く対応可能なマルチフューエル型エンジンなどの外販ビジネスを展開。従来からの完成車事業の収益を下支えする構造になっている。

さらに、現在のA社のもう1つの新たな事業の柱となっているのが、国内外における社会インフラ型のソリューションビジネスである。まず本社のある地元の私鉄グループを買収し、不採算となっていた郊外鉄道・バス路線を自動運転車両によるオンデマンド交通に置き換えて利便性と採算性を高めた。また、地元の国立大学と長年自動車産業向けの高度デジタルエンジニアリング人材育成プログラムを展開していて、世界各地から優秀なエンジニアが集まるようになった。そこで、そうしたエンジニア向けにエネルギーやモビリティー、ICT（情報通信技術）の最先端技術を駆使した郊外型コミュニティーを開発して運営した。それが結果として安定した収益源ともなり、地元経済や社会インフラ構築にも大きく貢献。海外でも、デジタル化が進み従来型の自動車販売ビジネスからの転換が必要となった販売代理店のオーナーなどと組んで、日本での次世代コミュニティー開発などで培った地産地消型の再生可能エネルギー供給ビジネスやバイオ燃料製造ビジネスをグローバル展開した。こうした活動がカーボンニュートラル化が一層進む各国で、同社のブランド価値を大いに高めている。ニッチトップながら深く長く顧客や社会に愛される企業というA社のブランドポジションは、業容転換を果たした今でも脈々と受け継がれている――。

コロナショックが浮き彫りにしたポートフォリオマネジメントの重要性

コロナショックの後、日本の多くのグローバル企業が想定以上の業績回復を実現しつつある中でも、その強さが一層際立っていたのが、2021年4月より社名と組織体制を変更したソニーグループである。数年前から加速してきた祖業であるエレクトロニクス事業の構造改革が進む一方で、電子部品やゲーム、音楽、映画、金融など幅広い領域で、自社が勝ち得るポジションをしっかりと見つけて、ゲームでのリカーリング（継続課金）ビジネスなど安定的な収益基盤を構築してきた。加えて、これら複数事業のシナジーを追求する中で、コンテンツビジネスの中からアニメ「鬼滅の刃」やアーティストのYOASOBIなどの大ヒットが生まれるなど、結果として2021年3月期に最終利益で1兆円を超える過去最高益を達成するまでに至っている。まさにコングロマリットプレミアムとも呼べるソニーの復活には、ポストコロナ後に日本企業が目指すべきいくつかのエッセンスが詰まっている。

ポストコロナ時代における個別企業の変革方向性を論じる上で参考になるのが、前著『フラグメント化する世界』（日経BP）の中で提唱した6つのプリンシプルである（**図4-1**）。

①脱〝コミットメント経営〟：「稼ぐ力」最重視から「存在意義」最重視の経営へ
②脱〝選択と集中〟：「あれかこれか」から、「あれもこれも」の複眼的経営へ
③脱〝横並び経営〟：「市場性」重視から「差異化可能性」重視の事業性判断へ
④脱〝標準化〟：デファクトスタンダードからカスタムソリューションへ
⑤脱〝大艦巨砲主義〟：キラーアプリ主導型からニッチクラスター型の事業開発アプローチへ
⑥脱〝中央集権型組織〟：「陸軍」モデルから「海兵隊」モデルへ

これは世界的にフラグメント化（細分化）が進む経営環境の中で、企業自身が「自律分散的な企業体」へと変革するための必要アクションとの位置づけで

図4-1　「フラグメント化する世界」における企業経営に必要な6つのプリンシプル

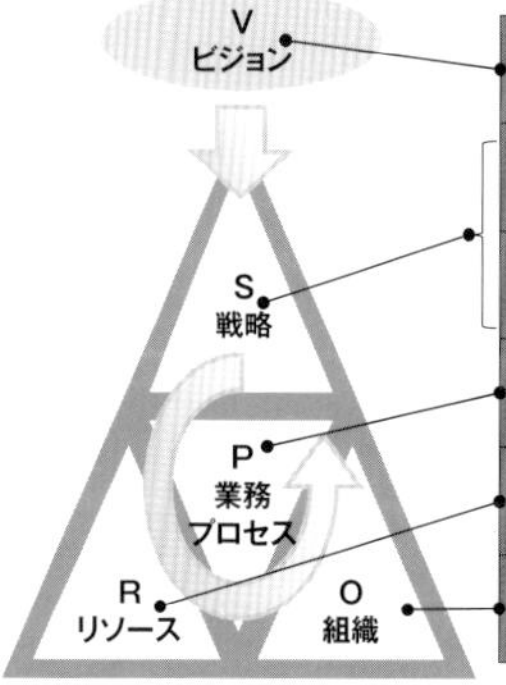

①	脱“コミットメント経営”	「稼ぐ力」最重視から「存在意義」最重視の経営へ
②	脱“選択と集中”	「あれかこれか」から「あれもこれも」の複眼的経営へ
③	脱“横並び経営”	「市場性」重視から「差異化可能性」重視の事業性判断へ
④	脱“標準化”	デファクトスタンダードからカスタムソリューションへ
⑤	脱“大艦巨砲主義”	キラーアプリ主導型からニッチクラスター型の事業開発アプローチへ
⑥	脱“中央集権型組織”	「陸軍」モデルから「海兵隊」モデルへ

出典：ADL

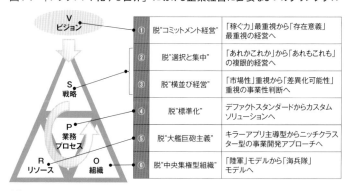

提唱したものであるが、ポストコロナ時代にはこのような自律分散的な組織能力の獲得が一層重要となる。そしてこの6つの中でも最も鮮明にその重要性が再認識されたのが、②の脱〝選択と集中〟の視点であろう。

大半の経営者にとって想定外といえた今回のコロナショックは、まさに過度な「選択と集中」によるリスクが最も顕在化する局面でもあった。実際、自動車産業をはじめとする専業型企業が多い産業で特に業績への影響が大きく、このような産業では企業間の経営基盤の強さによって優勝劣敗がより明確となる結果となった。一方で、複数の事業を持つコングロマリット型企業の中でも、その影響にばらつきが出た。当たり前のことではあるが、事業特性が異なる複数の事業を持っていればなんでもいいということではない。コングロマリット型企業の中で今回のコロナショックによる影響を特に強く受けたのは、ROIC（投下資本利益率）などの定量的な経営指標による事業の足切りを中心にした「守り」の事業ポートフォリオマネジメントに注力し、好況期にはバランスが取れているかに見えた企業。そうした企業がコロナショックにより業績を崩しているケースが多く、まさに事業ポートフォリオの「質」が問われるようになってきている。これは一義的には個別事業の市場環境や競争力に起因するものであるが、ここに来てさらに自社の存在意義を踏まえた、より骨太の事業ポートフォリオ構築が必要になっているといえよう。

では、ポストコロナ時代における、より骨太の事業ポートフォリオ構築の指針とはどのようなものか。これは次節で詳説するが、端的に言えば、今後世界的に企業の優勝劣敗の明確化が進む「グローバル事業」においては、第3章で考察した日本企業が勝ち得る4つのパターンの事業（①グローバルニッチトップ産業財／②カスタムソリューション型システムインテグレーション／③日常型プレミアム消費財／④ニッチ特化プラットフォーム）へのフォーカスを徹底し、4つの中で複数の勝ちパターンのビジネスをポートフォリオ的に持つこと。その上で、今後産業として再成長・リソースシフトが見込まれる「ローカルソリューション事業」をもう1つの軸として育成・強化し、グローバル事業とローカルソリューション事業の両輪から成る、バランスの取れた骨太の事業ポートフォリオを確立することが必要となっているのだ。

グローバル＋ローカルソリューションのバランス型事業ポートフォリオとは

ポストコロナ時代に求められる「骨太の事業ポートフォリオ」を考える上で、これまでの日本の大手技術系企業の発展形態を振り返ってみたい。日本の大手技術系企業の中には、この数年でちょうど１００周年を迎える企業が多く存在するように、大正～昭和初期に設立された企業が多い。このような企業の多くが、最初は海外で発明された製品・技術の国産化を目的に設立され、戦前・戦後には日本の産業振興や社会インフラの整備、消費者の生活水準の向上などに貢献する中で、企業としての基礎を築いてきた。その後、高度経済成長期とオイルショック以降、すなわち１９７０～１９８０年代からは、国内での厳しい競争や消費者の目に鍛えられた製品を本格的に海外展開することで企業としてのグローバル化を進めた。そうした輸出型企業の生み出す付加価値により、日本は米国に次ぐ世界第２位の経済大国にまで上り詰めた。

図４-２に日本の技術貿易収支比率の推移を

図4-2　日本における技術貿易収支の推移

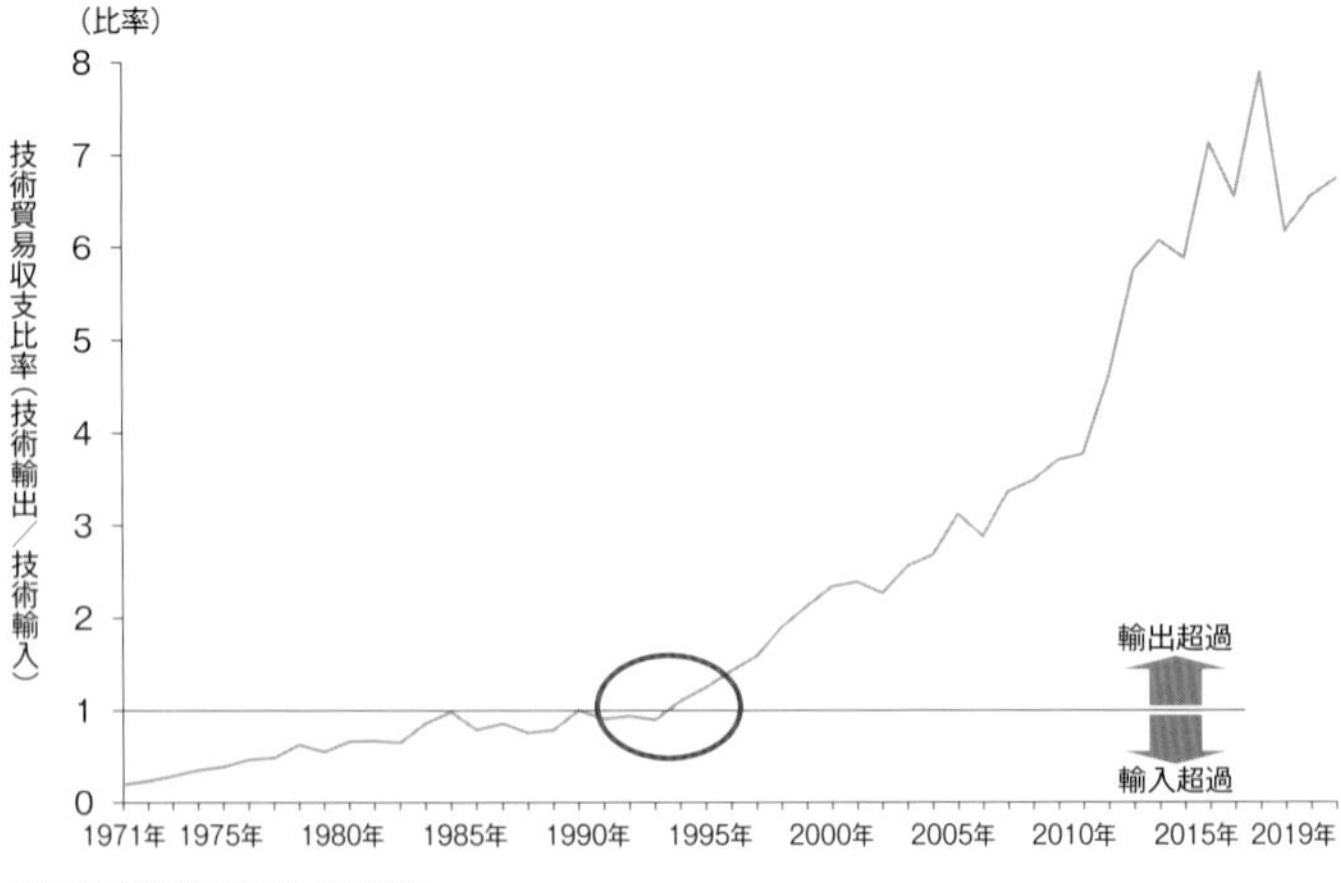

出典：科学技術研究調査（総務省）

示しているが、技術に関して言えば、輸出超過となったのは、実は1990年代以降、すなわち平成に入ってからなのである。1980年代までは、コア技術も海外からライセンス導入して製品を国産化し、製造した製品を輸出するといった典型的な加工貿易中心であったものが、1990年代以降は自国で開発した技術をベースにした製品や技術そのものを、現地生産含め海外展開するケースが増えたということだ。この日本の転換点が、ちょうどグローバル資本主義が全盛となった1990年代に生じているのが興味深い。

しかし、ここまで見てきたように、グローバル資本主義の成長ドライバーであった地理的フロンティアの拡大が限界を迎え世界のフラグメント化が進んでいく中で、グローバル資本主義の終《しゅう》焉《えん》が見え始めた。そうなると、これまで日本企業が頼ってきた既存製品・技術のグローバル展開による事業成長も限界を迎えてくる。つまりこれから先のポストグローバル資本主義の時代においては、多くの日本の技術系企業がその存在意義自体の大転換を再度迫られてくる可能性は高い。折しも、日本自体が少子高齢化に伴う成長の鈍化や国家財政の限界などの多くの構造的課題を抱えている。そうして国内の社会・産業インフラなどが老朽化して更新・刷新のタイミングを迎える中で、財政面を含めたその実現の担い手を探しているという現状がある。そこに、改めて日本のグローバル企業が商機を見いだす意義は大きい。

◆まさに「両利き」の経営が求められている

このようなマクロな社会環境の変化を踏まえた時に、日本の大手技術系企業が向こう10～20年の単位で目指すべき事業ポートフォリオの変革の方向性としては、

①現状のコアであるグローバル事業については、真に自社が競争力を持ち、自社もしくは日本企業の特性に合った、今後もグローバルに勝ち続けられるコア事業へのフォーカスを一段と進めていく

②同時に、相対的に地政学的リスクの低い日本国内を中心とした社会インフラの整備や社会インフラ機能（サービス）そのものの担い手となるようなローカルソリューション型の既存・新規事業へのリソースシフトを進めて、グローバル事業と並ぶ中核事業として育成・強化していく

――という2方向の取り組みを同時並行的に進めていくことが求められるだろう（**図4-3**）。まさに「両利き」の経営が求められているということであり、このような取り組みを進めることで、結果としてグローバル事業とローカルソリューション事業を両輪とした安定的な事業ポートフォ

リオを確立することができる。

全く性質の異なるグローバル事業とローカルソリューション事業を両輪として持つことは、一見すると企業マネジメントなどの観点から難度が高いように感じるかもしれないが、実際には、このような安定的な事業ポートフォリオを持つ、もしくは育成しようとしている日本企業は数多く存在する。このような企業の事業ポートフォリオ変革の類型としては、大きく3つに分類できる（図4-4）。

①現状で既に、バランス良くグローバル事業とローカルソリューション事業が併存している企業（グローバル事業・ローカルソリューション事業併存型）

②もともとはグローバル事業に集中して成長してきたが、近年ローカルソリューション事業開発にも

図4-3　大手技術系企業の目指すべき事業ポートフォリオの変革の方向性

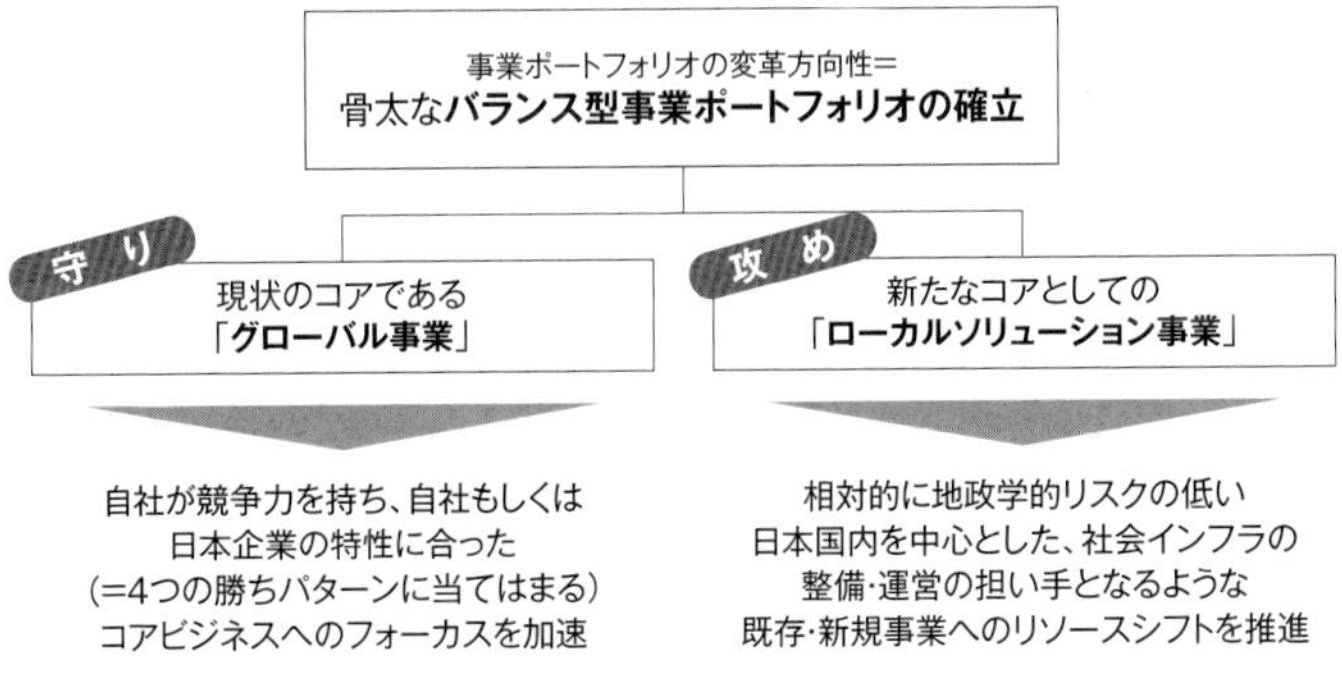
事業ポートフォリオの変革方向性＝
骨太なバランス型事業ポートフォリオの確立
守り
現状のコアである
「グローバル事業」
攻め
新たなコアとしての
「ローカルソリューション事業」
自社が競争力を持ち、自社もしくは
日本企業の特性に合った
（=4つの勝ちパターンに当てはまる）
コアビジネスへのフォーカスを加速
相対的に地政学的リスクの低い
日本国内を中心とした、社会インフラの
整備・運営の担い手となるような
既存・新規事業へのリソースシフトを推進

出典：ADL

注力している企業（グローバル事業→ローカルソリューション事業移行型）

③もともとはローカルソリューション事業主体で、改めてグローバル事業に挑戦している企業（グローバル事業再挑戦型）

それでは以降で、それぞれの類型ごとに代表的な先進事例を紹介していこう。

◆①グローバル事業・ローカルソリューション事業併存型

まず、グローバル事業とローカルソリューション事業の両輪から成る、バランス型の事業ポートフォリオを現時点で持っている企業の例を見てみよう。この類型の最も分

図4-4　バランス型事業ポートフォリオ実現の3パターン

パターン	概要	事業ポートフォリオイメージ	先進事例
① グローバル事業・ローカルソリューション事業併存型	過去から一貫して、グローバル事業とローカルソリューション事業が併存	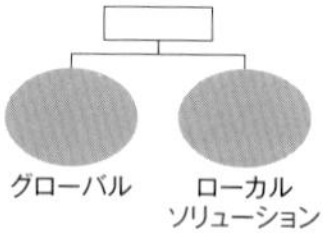	・クボタ ・神戸製鋼所 ・AGC ・積水化学 ・旭化成
② グローバル事業→ローカルソリューション事業移行型	もともとグローバル事業に集中して成長してきたが、近年ローカルソリューション事業の開発にも注力	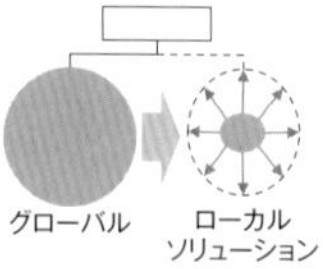	・トヨタ自動車グループ（トヨタ·日野·ダイハツ） ・IHI ・パナソニック ・ソニーグループ ・日立製作所 ・総合商社
③ グローバル事業再挑戦型	もともとローカルソリューション事業主体で、改めてグローバル事業に挑戦	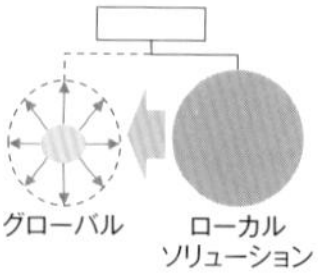	・NTTグループ ・NEC

出典：ADL

かりやすい先進企業がクボタである。

▼クボタ：グローバルな機械事業とローカルな水環境事業の2本柱

今から約130年前の1890年に鋳物メーカーとして設立されたクボタは、最初は水道管の製造から出発した（図4-5）。戦後、耕運機など農機事業に参入し、それらを起点に水処理事業や建機事業などに展開することで、当時の企業スローガン「国つくりから米つくりまで」の通り、戦後の経済復興の中で日本の農業の近代化と社会インフラの構築に貢献してきた。こうして出来上がった事業基盤をベースとして、1990年代以降本格的に事業のグローバル化を進めることで企業規模を拡大してきた。このグローバル展開の中心を担ってきたのが農機であるが、もともとクボタは日本の農業の中心であった

図4-5　クボタの売上高推移

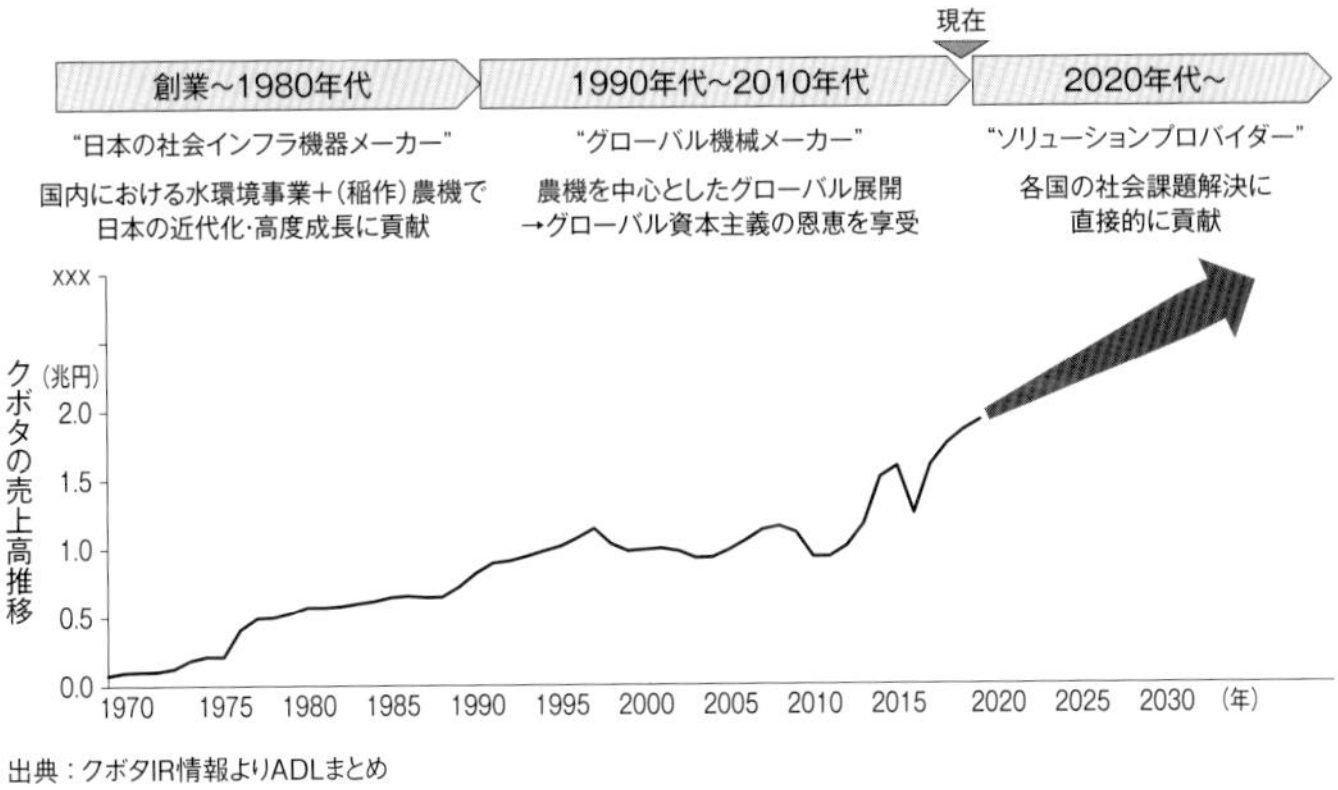

出典：クボタIR情報よりADLまとめ

稲作（水田）向けの小型トラクターを主力商品としてきた。一方でグローバル展開に当たっては、この小型トラクターを北米の富裕層や地方在住者が地方の別荘や郊外の邸宅などで農作業や芝刈り、もしくはＤＩＹなどの軽作業を行うための作業用の車両（日本で言えば軽トラックのような存在）として売り込んだのが大ヒットとなった。本来は農家向けの業務用（ＢｔｏＢ）の機能財であったトラクターを、グローバル資本主義により経済的恩恵を受けていた北米富裕層の個人用（ＢｔｏＣ）の趣味財として売り込んだのである。

実際現在も、このような小型トラクターやそこに搭載されている小型の産業用ディーゼルエンジンなど、小型化とＱＣＤ（品質・コスト・納期）の両立が難しいこれら市場セグメントにおいては、クボタやヤンマーなどの日本の農機メーカーがグローバルでも高いプレゼンスを持っている。まさにこれらは第３章で紹介した日本企業の勝ちパターンである「グローバルニッチトップ産業財」と「日常型プレミアム消費財」の両方の側面を持つ製品と言える。

こうしてグローバル企業に成長したクボタであるが、さらなる持続的成長を目指した新しい長期ビジョンとして、「豊かな社会と自然の循環にコミットする〝命を支えるプラットフォーマー〟」というコンセプトを打ち出している。この中でクボタは、祖業である水環境事業やさらには農機・建機事業で培った幅広い顧客接点と要素技術を活用して、社会課題解決のためのソリューションプロバイダーになるという目標を掲げている。これはまさに、ローカルソリューション事業への転換を目指す方向性であり、特に足元の社会的トレンドであるカーボンニュートラルやサーキュラーエコノミー（循環型経済）の実現に当たっては、クボタの持つ幅広い技術を活用したソリューションビジネスのニーズが多数存在している。ニッチトップ型商品の強みを生かしてグローバルメジャーブランド（GMB）を目指す機械事業と、命を支えるプラットフォーマーへの発展基盤となる祖業の水環境事業を2本柱として持つクボタはまさに、グローバル事業とローカルソリューション事業をバランスよく持つ大手技術系企業の典型例と言えよう。

▼神戸製鋼所：本業深耕に加え電力など社会インフラ事業へ

一方、重厚長大系のメーカーの中で同様なバランス型の事業ポートフォリオを持つもう1つの代表例が、神戸製鋼所である。鉄鋼メーカーとしては中位にある同社は、以前からニッチトップ型商材に活路を見いだしてきた。その1つが、日本企業としてはトップクラスにあるアルミ板事業や溶接材事業であり、また鉄鋼（ハイテン材）とアルミ薄板の両方を商材に持つほぼ世界唯一のメーカーとして、自動車の軽量化ニーズのトレンドとなりつつある「マルチマテリアル」領域において、大いに注目を集めている。複数の自社商材を組み合わせた形（＝システム）で、自動車メーカー各社の軽量化ニーズに合ったカスタムソリューションを提供している。

またもう1つのグローバル型の基盤事業である機械事業についても、神戸製鋼所は建設機械市場の中ではニッチなセグメントである建設用クレーンにおいて世界的に高いポジションにある。世界的に中位の油圧ショベル事業でも、よりカスタム対応が必要となる自動車解体や建物解体などの環境機械の分野に注力することで、その分野での高い市場シェアと安定的な収益を獲得している。加えて、カスタムソリューションの典型であるエンジニアリング事業を持ち、以前から独自の製鉄工法を研究するなど、グローバル事業の分野においてはまさに、「グローバルニッチトップ産業財」と「カスタムソリューション型システムインテグレーション」の事業の集合体となっている。

さらに1990年代半ばからは、自社製鉄所を活用したIPP（電力卸供給事業者）として電力事業に参入することで、国内における社会インフラ型の事業を展開している。カーボンニュートラルの流れの中で、中長期的にはその形態変化は必要となるだろうが、IPPのノウハウを活用した形でのさらなるローカルソリューション事業への展開が可能なポジションにいる神戸製鋼所の事業ポートフォリオも、典型的なバランス型事業ポートフォリオと言える。

▼AGC／積水化学／旭化成：建材・住宅事業を持つ素材メーカー

グローバル事業とローカルソリューション事業のバランス型の事業ポートフォリオを持つ企業は、素材メーカーにも多い。このような素材メーカーの共通項は、ローカルソリューション事業として建材・住宅関連の事業を持つということである。代表例は、建築用ガラス事業を持つＡＧＣや、住宅事業を持つ積水化学、旭化成であろう。

このうち最近「両利きの経営」による事業変革の成功例として取り上げられることも増えているＡＧＣは、もともと欧州の同業他社の買収と、トヨタ自動車を中心とする日本の自動車メーカーとともにグローバル市場を開拓することで成長を遂げ、自動車用ガラスでは世界シェアトップのポジションにある。加えて２０００年代以降は、フラットパネルディスプレー（ＦＰＤ）市場の成長に合わせてディスプレー用ガラス事業が急成長し、まさにキラーアプリ特化の勝ちパターンでグローバル事業において成功を遂げてきた。

一方で、特に２０１０年半ば以降、ＦＰＤ市場が成熟化・コモディティ化する中で、もう１つの主力事業である化学品事業を起点に、高速通信規格「５Ｇ」向けのガラスアンテナや新型コロナウイルスのワクチン製造などで注目を集めているバイオ医薬品の受託開発・製造（バイオＣＤＭＯ）事業など、ニッチトップ産業財やカスタムソリューション型の事業を育成し、グローバル事業のポートフォリオを大きく転換している。さらにこのようなグローバル事業間でのポートフォリオシフトと同時に、もう１つの中核事業である建築用ガラス事業では、短期的には業界再編を含めた効率化をにらむ。さらに建設関連事業としては、今後国内での次世代コミュニティーなどのローカルソリューション型の事業機会が拡大していく中で、中長期的にその業容を広げていく余地も出てくるだろう。

このほか、それぞれ「セキスイハイム」や「へーベルハウス」でおなじみの住宅事業を展開する積水化学や旭化成も、その中核は、ニッチトップ産業財の集合体である。積水化学の場合、自動車用合わせガラスの中間膜や各種工業用テープに加え、近年はライフサイエンス領域の事業の育成・強化を進めている。旭化成は、近年注力しているヘルスケア事業や世界シェアトップのリチウムイオン電池向けのセパレーター、低燃費タイヤ向けのSSBR（溶液重合スチレンブタジエンゴム）、幅広い合成樹脂などの「グローバルニッチトップ産業財」に加え、「日常型プレミアム消費財」としての「サランラップ」など、日本企業の勝ちパターンに合った多くのグローバル事業を持つ。これに加えて両社とも建設資材の提供にとどまらず、究極の「日常型プレミアム消費財」としての住宅事業を持つことで、今後のローカルコミュニティーの構築に対して幅広い接点を持ち得る立場にある。

このように日本には、素材ビジネスをベースに多角化を進めたことで、結果としてグローバル事業とローカルソリューション事業の両方をバランスよく持つ素材メーカーが多数存在している。この点も、今後日本の素材産業の1つの強みになり得るだろう。

◆②グローバル事業→ローカルソリューション事業移行型

次に、現状はグローバル事業を主力としながらも、近年ローカルソリューション事業を新たに構築、もしくは再強化しようとしている企業を取り上げよう。その先進事例はまず、トヨタ自動車グループだろう。

▼トヨタ自動車：グループ挙げてローカルソリューション事業へ

トヨタ自動車ほど、平成の30年間におけるグローバル資本主義の発展による恩恵を最大限に享受して成長した日本企業はないだろう。これまでトヨタは、国内で築いた盤石の体制を基に、米国や欧州、東南アジア、さらに足元で急激にシェアを拡大しつつある中国など、まさにグローバルな販売・生産体制を整備して持続的な成長を実現してきた。一方でその結果として、企業としての業績がグローバル経済の好不況に大きく影響を受ける構造になっていることも事実だ。今回のコロナショックにおいても、自動車業界の中では2大市場である米国と中国を中心に、業界他社に先駆けていち早く業績回復を実現したものの、ロックダウンによるオペレーション休止の影響は避けられなかった。

こうした中でトヨタは、次の一手として着実にローカルソリューション事業への種まきを始めている。その1つが、新たなモビリティーサービス展開のために孫正義氏率いるソフトバンクグループと呉越同舟で手を組んだ、共同出資会社モネ・テクノロジーズの設立である。国内では携帯電話事業の存在が大きいソフトバンクグループだが、最近は10兆円ファンド「ソフトバンク・ビジョン・ファンド」を通じて世界各国のモビリティーサービス事業者にも積極的に投資をしている。一方で、トヨタ自身も同様に世界各国のモビリティーサービス事業者への出資や提携を進めていた。こうした中で日本国内では、この両社が手を組む形になった。新会社では、日本の特に地方部での過疎化・高齢化の進展に伴って大きな社会的課題になっている、免許返納後の高齢者などの交通弱者に向けたモビリティーサービスの提供に加え、他のメーカーや小売事業者を一層巻き込む形のモビリティーサービスや、将来的にそれらを自動運転化するための基盤技術の開発を進めている。これは、まさに異業種連携によるローカルソリューション事業展開の象徴的事例といえるだろう。

このような国内における社会課題を起点としたローカルソリューション事業には、同じトヨタグループの日野自動車やダイハツ工業も近年積極的に取り組んでいる。トヨタグループにおいてトラック・バスなどの商用車事業を担う日野自動車は、自社主力製品（大型トラック）の顧客である物流企業や、顧客の顧客である荷主企業にとって深刻化している長距離幹線輸送におけるドライバー不足の課題解消を目指している。そのため2018年に、ネクスト・ロジスティクス・

ジャパンを荷主企業との共同出資で設立。幹線輸送の効率化に向けた様々なソリューション事業を展開しようとしている。また、同様にトヨタグループ内で軽自動車などの小型車事業を担うダイハツ工業も、独自のモビリティー関連サービスを展開する。具体的には、自社製品（軽自動車）の主要市場である地方部において交通弱者問題が先鋭化しつつある老人介護市場に着目し、通所介護事業者向けの送迎支援システム「らくぴた送迎」を展開するなどしている。

さらに、こうしたグループ企業の取り組みに加え、トヨタ自身が次の戦略領域として2020年に発表したのが「ｗｏｖｅｎ ｃｉｔｙ（ウーブン・シティ）」と称する街づくり事業の領域である。自動車にとどまらず人間の生活を支えるあらゆるモノやサービスがつながるコネクテッドシティーとして手掛けられるこの取り組みの目的は、まずグループ会社のウーブン・プラネット・ホールディングスが手掛ける「シティＯＳ」などを活用したデジタルツイン環境の実現といった、技術開発上のフロンティア確立ということがある。その上で、モビリティーサービスのみならず街全体として必要になる機能を幅広く提供し、トヨタとして社会インフラ型のソリューションビジネスを事業化する狙いだ。グローバル事業としての自動車製造販売業一本足から脱却し、まさに持続可能な事業ポートフォリオに変革していくという強い意志が読み取れる。さらに言えば、世界的企業となったトヨタ自身が街づくりに関わることで、トヨタの持つ投資余力や信用力をてこに、他の民間企業や海外投資家から日本における社会インフラのアップデートを実現するための必要投資を呼び込む布石となる可能性もあるのだ。

▼IHI：航空エンジン一強から社会インフラ事業再強化へ

より着実なアプローチで、トヨタと同様にグローバル事業依存からローカルソリューション事業の再強化を目指している好例が、IHIである。IHIも、同社内で「1強」のグローバル事業である航空機エンジンビジネスが、コロナショックによる航空需要の落ち込みにより多大な影響を受けた。また、もう1つの主力事業である火力発電所向けボイラーなどのエネルギー事業も、カーボンニュートラルの世界的潮流の中で、大きな転換を迫られている。こうした中でIHIは、2020年秋に打ち出した新たな経営方針の中で、航空輸送システムやCO_2削減のためのカーボンソリューション分野に加えて、日本国内を中心とした社会インフラの「保全・防災・減災」を重点事業分野として改めて再強化していく方針を打ち出している。

もともとIHIは、瀬戸大橋など大型の橋梁の建設を手掛けるなど、国内外の社会インフラの建設において貢献をしてきた実績もある。これらを基盤に、今後の社会インフラの更新・アップデートを見越してソリューション事業として拡大していくというのは、グローバル事業とローカルソリューション事業をバランスさせる事業ポートフォリオ多軸化のアプローチと言える。

▼パナソニック／ソニーグループ：ローカルソリューション分野で存在感

また、自動車メーカーと並ぶグローバル産業の代表である総合電機メーカー各社も、各社各様にこのローカルソリューション事業の強化を進めている。最も分かりやすいのが、パナソニックだろう。良くも悪くもいまだに多様なグローバル事業を持つパナソニックは、2022年からの持ち株会社制への移行を起爆剤に、短中期的には真にグローバルで勝てるグローバル事業への絞り込みが一段と進むだろう。パナソニックの場合、現状の事業構成で言えば、グローバル事業の4つの勝ちパターンのうち、米テスラやトヨタ向けを中心とした車載電池や現インダストリアルソリューションズ社傘下の電子部品などの「グローバルニッチトップ産業財」、現場プロセス事業など現コネクティッドソリューションズ社やオートモーティブ社の主力事業であるインフォテインメント事業などを中心とした「カスタムソリューション型システムインテグレーション」、そして祖業でもある家電領域が手掛ける「日常型プレミアム消費財」の3つの類型に現在の中核事業の大半が該当する事業ポートフォリオになりつつある。

これに加えて、新たな事業開発の方向性として打ち出しているのは、「Fujisawa サスティナブル・スマートタウン」の構想・建設・運営を起点とした、新たなローカルソリューション事業の育成である。具体的には、地産地消型のエネルギーインフラを特徴としたスマートタウン事業の展開や、そのタウンマネジメントのキー機能としての自動運転車両を用いたラストワンマイルモビリティー・物流サービスなどである。もともと家電を祖業に住宅設備など個人の生活・住空間に密着した事業を展開してきたパナソニックだからこそ、ポストコロナで加速するコミュニティー型社会への移行に伴い、社会インフラに近いローカルソリューション事業とそれを背後から支える強いグローバル（モノづくり）事業の集合体とを両輪で展開する「パーソナルインフラ」企業として、改めてその存在感を高めることも可能だろう。

一方で、パナソニックに先行して事業ポートフォリオの多軸化を進めてきたソニーグループは、現状の主力であるグローバル事業群として、世界首位のイメージセンサーに代表される「グローバルニッチトップ産業財」と、ミラーレスを中心にシェアを高めつつあるデジタルカメラなどエレクトロニクス事業を中心とした「日常型プレミアム消費財」、そしてゲームやアニメなどのニッチコンテンツをベースとした「ニッチ特化プラットフォーム」の3つに類型される事業からなるポートフォリオを有している。

加えて、ソニーにとってのローカルソリューション事業は、国内限定で展開しているソニー銀行、ソニー生命、ソニー損保などからなる金融事業である。2020年のグループ再編に伴い、100%子会社化を果たしたこれら金融事業は、今後フィンテックとの融合などによって、よりローカルな環境においても個人が多様な価値交換やリスクシェアなどを実現できるような社会インフラへと進化していく可能性が高い。グローバル事業側でもモノづくり事業だけでなくコンテンツやサービスなど幅広いＢｔｏＣの事業を持つソニーだからこそ、金融事業をベースとしたデジタル社会インフラのローカルソリューション事業側においても、個人向けの事業展開を優位に進められるといえるだろう。

▼日立製作所／総合商社：ローカルソリューション事業のグローバル展開

家電事業を祖業とするソニーグループやパナソニックとは異なった方向に事業ポートフォリオを深化しようとしているのが、日立製作所である。社会インフラ構築を担う重電機器メーカーとしての出自を持ち、リーマン・ショック以降、「社会イノベーション事業」への注力を旗頭に事業ポートフォリオの変革を進めてきた。現状のポートフォリオでは、グローバル事業としては、自社のＩｏＴプラットフォーム基盤である「ルマーダ」を核とした「カスタムソリューション型システムインテグレーション」と「ニッチ特化プラットフォーム」のＢｔｏＢ事業への注力が明確になってきている。そのために、家電事業を中心とした「日常型プレミアム消費財」分野では海外事業の売却を進め、グローバル市場からは撤退。近年は関係会社中心に取り組んできた「グローバルニッチトップ産業財」についても、ルマーダを介してのプラットフォーム型ビジネスや街づくり・社会インフラなどのローカルソリューション事業につながるものだけに絞り込んでいる。こうした中で、日立化成・日立金属・日立電線という以前のグループ企業御三家が手掛けた素材事業など単体でのニッチトップ型事業は、すべからく売却を進めてきた。

　このように日立製作所は、今後の同社の成長を、システムインテグレーション事業とルマーダベースのローカルソリューション事業とを日本国内のみならず世界多極で展開していくことによって、実現しようとしている。これは、世界各地で現地拠点への権限移譲を進め、地産地消的にローカルソリューション事業を展開しながら、各地の成功モデルをグローバルに横展開していくという意味で、一段スケールの大きな構想といえる。ただし、デジタルインフラの世界以上に多様性・複雑性が増すリアル世界での社会インフラ事業を多極的に行うという意味で、投資体力とリスクマネジメントの巧拙が問われる事業展開とも言えるだろう。

　一方、こうした日立製作所が目指すローカルソリューション事業のグローバル展開で、一日の長があるといえるのが、日本の総合商社各社である。各社とも、もともと資源小国である日本におけるエネルギー・資源・食糧などの安定確保と、自動車や産業機械・素材など日本発の競争力ある工業製品の海外展開といった、イン・アウト両面からのグローバル事業を中心に発展してきた。併せて各社とも、進出先の世界各国において電力事業や都市開発などの社会インフラ事業に長年取り組んできている。近年は、日本においても不動産事業や小売・流通事業、さらには医療・介護分野などのハード・ソフト両面からの社会インフラ事業を展開。それらをデジタル技術をてこに、さらに高度化することを目指した事業開発を進めつつある。このような事業ポートフォリオの多様性が評価され、コロナショック後の2020年8月には、世界的な著名投資家であるウォーレン・バフェット氏率いる米投資会社バークシャー・ハザウェイが、日本の大手総合商社5社の株式を同時に取得するという動きも起こった。まさに日本の総合商社が持つグローバル事業とローカルソリューション事業を組み合わせた多様な事業ポートフォリオが、世界的にも一定以上の評価を得始めているといえるのだ。

◆③グローバル事業再挑戦型

グローバル事業とローカルソリューション事業のバランス型事業ポートフォリオ実現の最後のパターンとして考えられるのは、もともとローカルソリューション事業を主力事業としながら、グローバル事業の育成・強化を進めていくパターンである。日本においてこのパターンでのポートフォリオ多軸化を近年最も意識している先進事例は、NTTグループであろう。

▼NTTグループ／NEC：GAFAへの対抗軸形成へ

前章でも指摘した通り、コミュニティー型社会に向けた日本国内での社会インフラ投資の担い手として最有望なポジションにいると目されるのが、NTTグループである。傘下の東西地域会社やNTTデータ、NTTファシリティーズなどグループ企業が持つ、地方自治体や地域コミュニティーとの関係性をてこに、従来からのICTインフラの構築・提供にとどまらない形で、都市開発事業への注力や再生可能エネルギー分野への参入など、社会インフラ型事業を拡大する方針を打ち出している。

NTTが、こうした社会インフラ分野を中心としたローカルソリューション事業の強化の先ににらむのは、グローバルプラットフォーマーであるGAFAへの対抗軸の形成である。これは1つには、ローカルソリューション事業の領域において、GAFAとは異なる戦い方で勝ちに行くという意味がある。例えば、NTTが受注者となった米ラスベガスのスマートシティー構築のコンペにおいては、街頭の監視カメラ映像などのデータを米グーグルなどは自ら囲い込んで自社事業でも活用する計画だった一方で、NTTはそのデータの所有権を主張せずにオープンデータとする計画にすることで受注を勝ち取った。GAFAが競争領域にあると見立てるデータ資産をあえて非競争領域とする代わりに、自社はそのシステムインテグレーションビジネスと、データ処理の中で得られるアルゴリズムの知見のみを得ることでよしとした。こうした異なるビジネスモデルで、ローカルソリューション事業の領域で勝ち抜こうというわけだ。

加えて近年NTTグループは、次世代の通信規格である「6G」における世界標準の獲得をもくろみ、従来から日本が強みを持つ光技術を活用して半導体からネットワークに至るまでの情報処理基盤に光技術を活用する「IOWN」構想を打ち出すなどの動きを見せる。一時期は劣勢におかれた自社のコア領域である情報通信インフラ分野において、グローバルな競争力の回復と、通信機器など関連製品のグローバル展開を再び指向し始めている。

さらに、このようなＮＴＴグループの動きを受けて自らもグローバル事業への転換を模索しているのが、旧電電ファミリーの長男格のＮＥＣである。かつては、パソコンや携帯電話など個人向けの情報通信機器、ＤＲＡＭやマイコンなどの半導体事業で一世を風靡した後、これらハイリスク型のビジネスからは徐々に距離を置き、現在は国内におけるＮＴＴグループなどの通信事業者向けの通信ネットワーク構築や官公庁・企業向けのＩＴシステム構築などのシステムインテグレーション（ＳＩ）・ネットワークインテグレーション（ＮＩ）の事業が主力となっている。特に、官公庁や自治体向けのＳＩ事業を通じたＩＣＴ観点での社会インフラ構築は、まさにＮＥＣの中核事業となっている。

一方で、このような日本における公共部門向けの社会インフラシステム構築の実績をベースに、ＮＥＣが海外展開を進めているのが「パブリックセーフティ事業」である。出入国管理など、生体認証技術を活用した個人情報管理の信頼性などが求められる公共部門向けシステムのノウハウをグローバルに展開することで、自社の強みが生きるカスタムソリューション事業のグローバル展開を目指している。また近年は、米中摩擦による中国通信機器最大手の華為技術（ファーウェイ）の失速や前述のＮＴＴグループの次世代ネットワーク構想に乗じた、通信機器・ネットワーク事業の海外展開の可能性も再度探るなど、自社の強みのあるローカルソリューション事業にいくつかのニッチトップ型のグローバル事業を組み合わせることで、一段の成長とバランスの取れた事業ポートフォリオ構築をもくろんでいる。

以上の先進企業に見られるように、これまでグローバル資本主義経済の中でその恩恵を受けて成長してきた多くの日本の技術系企業が、次の成長を見越して社会インフラの再構築・運営を中心としたローカルソリューション事業を強化し、事業ポートフォリオの多軸化・安定化を目指している。こうした動きは、不確実性の増すポストコロナ時代において、日本の企業・産業が持続的成長を実現していく上でも、大変心強い兆候と考えられる。結果としてこのような個別企業の変革をさらに加速させていくことが、日本全体の産業転換や社会インフラの刷新を進めていく上でのドライバーともなるのだ。

第 5 章

SX／IX／CXで日本の存在感を世界に示す

ここまで、今後の時代の変化を踏まえて、日本として目指すべきSX（ソーシャル・トランスフォーメーション）／IX（インダストリアル・トランスフォーメーション）／CX（コーポレート・トランスフォーメーション）の在り方について見てきた。では、世界に目を向けると、他国ではどのような動きがあるのか。また、その中で日本としてはどのような貢献機会、すなわち商機があるのだろうか。

実は、日本が直面している社会・産業にまたがる複合的な課題は、今後世界の多くの国が直面する課題でもある。グローバル経済の行き詰まりは世界共通的な課題であり、また、人口減の中での社会資本維持は、先進国だけでなく、中国や東南アジアなどの新興国も直面していくことになる課題だ。また、より重要なこととして、コロナショックを経て世界中で次世代の社会システムを模索する動きが始まっている。そして、これは社会システムの構築というだけではなく、新型コロナウイルスの感染抑制実績などを含めた、国家間におけるガバナンス構造の優位性競争の様相も呈している。

こうした構図の中で、日本は何をなすべきなのだろうか。最終章となる本章では、コロナショック後の国家間競争について見渡した上で、世界の中で日本が果たすべき役割について提言する。

◆国家間におけるガバナンス構造の優位性競争

◆感染拡大阻止を巡っても対立を深めた米中

中国は今回のコロナショックの発端でありながら、特に感染初期において大規模かつ強制的な都市封鎖（ロックダウン）を行うことにより、結果として最も早期に感染拡大を食い止めた。一方、米国は元来の個人主義志向に加えてトランプ前政権による対策が後手に回ったこともあり、一時期はニューヨークなどの大都市での医療崩壊を招き、これが結果的に米中対立の先鋭化にもつながった。この両国はもともと、グローバル資本主義の中心としての米国 vs 共産主義という名の下で国家資本主義体制を取る中国――という構図の中で、特にトランプ前政権発足後の数年間は報復関税の掛け合いによる激しい貿易摩擦や、通信・半導体などの最先端技術領域における技術覇権争いなど、様々な形・階層で利害が衝突してきた。その中で、新型コロナに対する対応についての結果だけを見ると、中国的な全体主義体制下でのトップダウンの国家管理の方がよいのではないかといった見え方をしてしまった面は少なからずあった。外交的には、中国がこの成果を吹聴しすぎて、それまで中国への依存度を高めていた欧州各国との関係を逆に悪化させるといった面もあった。ただもともと中国は、コロナショックの以前からデジタル公共財の概念を拡張し、ゴミ捨て場にまでセンサーを付けてごみの分別状況を監視したり、スマートフォンによる決済実績などの個人データを活用した個人格付け（胡麻信用）がデファクトスタンダード（事実上の標準）になっていたりと、プライバシー保護の観点を除外するとデジタル社会インフラの整備が世界的に見ても進んでいて、それが今回のコロナ対策にも生かされたという側面があった。

一方、民主主義国家である米国や日本においては、たとえ感染拡大の阻止という公共の福祉のためであっても、政府側の判断・指示によって個人の利益追求のための経済活動を完全に止めることは困難との立場から、ロックダウンのような強制措置は必要最小限にとどめるべきとの世論が強く、結果として感染拡大の抑制までに時間がかかった面があった。特に日本の場合は、医療従事者や政府関係者の努力もあり結果として感染者数・死者数ともかなり低い水準に抑えることに成功したにもかかわらず、デジタル公共財の整備の遅れなどにより、政策の浸透スピードがなかなか上がらないといった問題を、逆に浮き彫りにすることにもなった。

◆独自の立場を貫く欧州、「リープフロッグ」を進める新興国

こうして先鋭化した米中対立に対して、欧州は独自の立場を貫こうとしているように見える。足元のコロナ対策では、初期対応こそイタリアなどいくつかの国で医療崩壊に近い状況も発生したが、その後は比較的うまく感染抑制を進めてきた。その内容も、感染当初にはある程度トップダ

ウンで強制力を伴うロックダウンの手法などを用いながらも、その後は経済活動との両立もうまく図りつつある。

そうした欧州の背景にある経済構造を見ると、米国式のグローバル資本主義と中国式の国家資本主義のちょうど中間のような官民協調による産業育成・振興を得意としてきた。今回のコロナショックに対する経済対策についても、コロナショックの直前に発表していた「グリーンディール政策」を踏襲・強化する形で、低炭素社会の構築に向けた先行投資によるＥＶ（電気自動車）普及などの「グリーンリカバリー」を目指す方針を世界に先駆けて提示し、新たな資金循環を能動的につくり出しつつある。

また、都市構造の観点でも、中世の都市国家がその基盤となっている欧州では、人口が１００万人を超えるような大都市は実はパリ、ロンドン、ベルリンなど数えるほどしかなく、数十万人規模の都市が分散的に存在する構造になっている。各都市の運営についても比較的大きな自治の裁量が与えられ、住民の参加意識も高い。第２章で述べたドイツの「シュタットベルケ」など、社会インフラの保有・運営についても、自治体と住民の共有財化が進んでいる例も多い。

このほか、特徴的な動きを見せたのは米欧中だけではない。新興国においてはデジタルを用いてコロナショックに立ち向かった国も存在する。代表例はインドだろう。第２章で紹介したように、従来から貧困層が多く、ＩＤ（身分証明）を持たないがゆえに金融サービスの口座を開設できない国民を多く抱えていた同国は、2014年から政府主導で「インディア・スタック」という身分証明などを担保するデジタル公共財を整備してきた。そして今回のコロナショックではそれを活用することで、国民への迅速な直接現金給付を実現した。

一方日本では、従来から「マイナンバー制度」を導入してきたものの、その普及は十分ではなく、新型コロナ対応においても行政業務の効率化に十分寄与できたとは言い難い。つまり、社会システムが整っていなかった新興国の方が、国家のデジタル化をより効果的に一気に進めることができていたということでもある。このように既存の社会インフラが整備されていない新興国などにおいて、新しいインフラサービスが先進国を飛び越えて一気に広まることを「リープフロッグ」と称するが、まさにこのリープフロッグ現象がデジタル公共財分野でも起きているのである。こうしてデジタル・ネイティブな国家となった新興国は、今後デジタルを用いた国家ガバナンスを進めていくことになるだろう。

このように、世界的な転換期に際し、各国が今後の社会・産業像を模索しており、それは今後の国家競争力をも左右する可能性があるのだ（**図5-1**）。

◆「グレート・リセット」の行方

国家間でのガバナンス構造の優位性競争が進む中、世界経済フォーラムの年次総会（ダボス会議）では2021年のテーマとして「グレート・リセット」を掲げた。これは、これまでの枠組みにとらわれずに新たな経済の在り方を模索しようとする動きだ。新型コロナウイルスの拡大が世界中で経済や生活に影響を及ぼしていることと、従来から世界が直面している気候変動や格差拡大といった課題を踏まえて、その場しのぎではなく、経済社会システムを新しく構築しなければならないということの、強力な課題表明でもある。

　ただ、そこで起こる議論は、新型コロナへの対応の違いに見られたようなガバナンス構造の国家間での優

図5-1　世界の動き

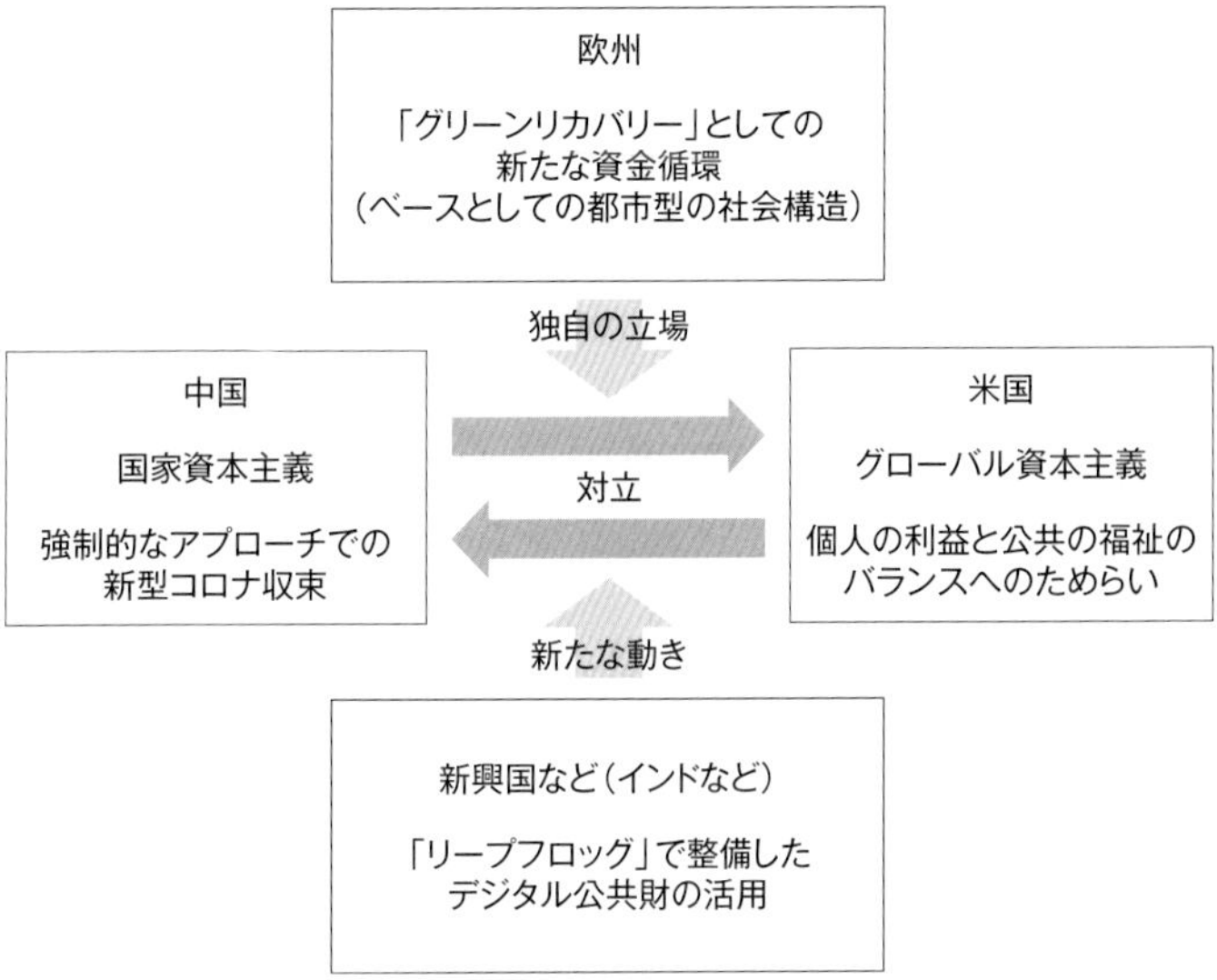

出典：ADL

位性競争といった様相を呈するかもしれない。現に、2021年初めに開催された同会議開催に向けたオンライン会合の場で、中国の習近平国家主席は気候変動問題や新型コロナウイルス流行への対応における積極的な姿勢をアピールしつつ、国際社会の課題に対して1つの国や数カ国が命令を出すことはできないと強調し、世界における米国の指導的立場の回復を目指すバイデン新政権をけん制した。昨今主要国がこぞって温暖化ガス排出量の実質ゼロを目指す「カーボンニュートラル」達成に向けた目標年次を競い合って発表しているように、ダボス会議はポストコロナの世界におけるリーダーシップを巡る戦いの場ともなりそうだ。

日本国内においても、グレート・リセットというキーワードは社会的な認知度が高まっている。しかしながら、世界の状況を見据えると、ダボス会議の行方をただ注視しているだけでは不十分なのだ。日本としてはここから、世界に何を提言していけるかが問われている。他国に先んじて社会・経済にまたがる課題に直面している日本として、それを超越していくためのコンセプトともなる社会・産業・企業の三位一体型変革（SX／IX／CX）を力強く発信するなどして、他国の社会・経済観に影響を与えていくべきだろう。ダボス会議などですべてが決まるというわけではもちろんないが、今後世界中が次なる社会・経済像を模索していく中で、機会あるたびに日本としてのコンセプトを発信し続けていく必要があろう。

◆日本発のグローバル・トランスフォーメーションへ

現在置かれている社会・経済的な環境は、確かに国によって異なるが、コミュニティー型社会への転換を促すドライバーとしての「経済停滞」や「人口減少」といった問題は本質的に各国共通だ。グローバルな経済停滞に加えて、地域ごとにタイミングは異なれど新興国も徐々に人口減少に直面していくことになる。つまり、そうした意味でも日本は課題先進国。こうした課題に対する日本の解決策が、各国にとってもその将来を見通す上で大いに参考になるはずだ。

◆世界的な世代交代による価値観変化が最大のドライバー

また、各国における共通項はそれだけではない。実は世代間の価値観変化には地域横断的な共通性があり、それもコミュニティー型社会への転換につながる大きなドライバーとなり得ると考えられる。向こう10年で世界的に起こる大きな変化は、グローバル資本主義に慣れ親しんできた今の40～60代とは全く異なる価値観やスキルを持つ、今の30代以下のデジタルネイティブ世代が、社会・経済の中で中心的な地位を占めるようになるということである。具体的には、米国における「ミレニアル世代」（1980～1995年頃に生まれた世代）や「Z世代」（1995～2010

年頃に生まれた世代）における「民主社会主義」（デモクラティック・ソーシャリズム）の台頭や、欧州における若年層からのグリーンエコノミーへの関心の高まり、そして日本的な草食系ともいわれる中国の「90后世代」（1990年代に生まれた世代）の価値観などは、社会・経済システムの違いはあれど各国共通で起こっている意識変化である。

つまりは、ポストコロナ時代における社会・産業変化を促す要因としては、世界的な世代による個人の価値観変化が最大のドライバーにもなり得る。こうした状況は、日本から世界に対して社会・産業・企業の三位一体型変革（SX／IX／CX）などのコンセプトを打ち出した際の共感にもつながり、強力な追い風ともなる可能性がある（図5-2）。

◆政府投資とESG投資という2つの「金流」が動く

今後はグリーンリカバリー政策のように、ポストコロナの経済刺激の目的も兼ねて、各国において社会インフラへの投資が進んでいくだろう。また、世界的には機関投資家を中心としたESG（環境・社会・ガバナンス）への関心の高まりに伴う投資マネーの動きもある。つまり、社会インフラ整備に向けては、政府投資とESG投資という、2つの大きな「金流」が生まれてくる。こうしたことからも日本としては、まずは概念発信を通じてSXへと世界的な金流を引き寄せていく必要があるだろう。

同時に、企業主導型の社会インフラ整備（次世代コミュニティー形成）の象徴例を、早期に国内に生み出し、それをショールームとして打ち出していくことも必要になる。過去には高度成長期において公害が激化した際に、日本の都市は行政・企業・市民が連携しながらその克服に乗り出した。その成功例の1つは北九州市だ。公害問題に直面しつつもそれを街ぐるみで克服したというストーリーを持つ同市には、急激な工業化が進む東南アジア諸国などからの視察が絶えないと聞く。SXにおいても、このようにストーリー性がある象徴例を生み出していくことが、海外からの共感を生み出すきっかけとな

図5-2　日本のトランスフォーメーションから世界のトランスフォーメーションへ

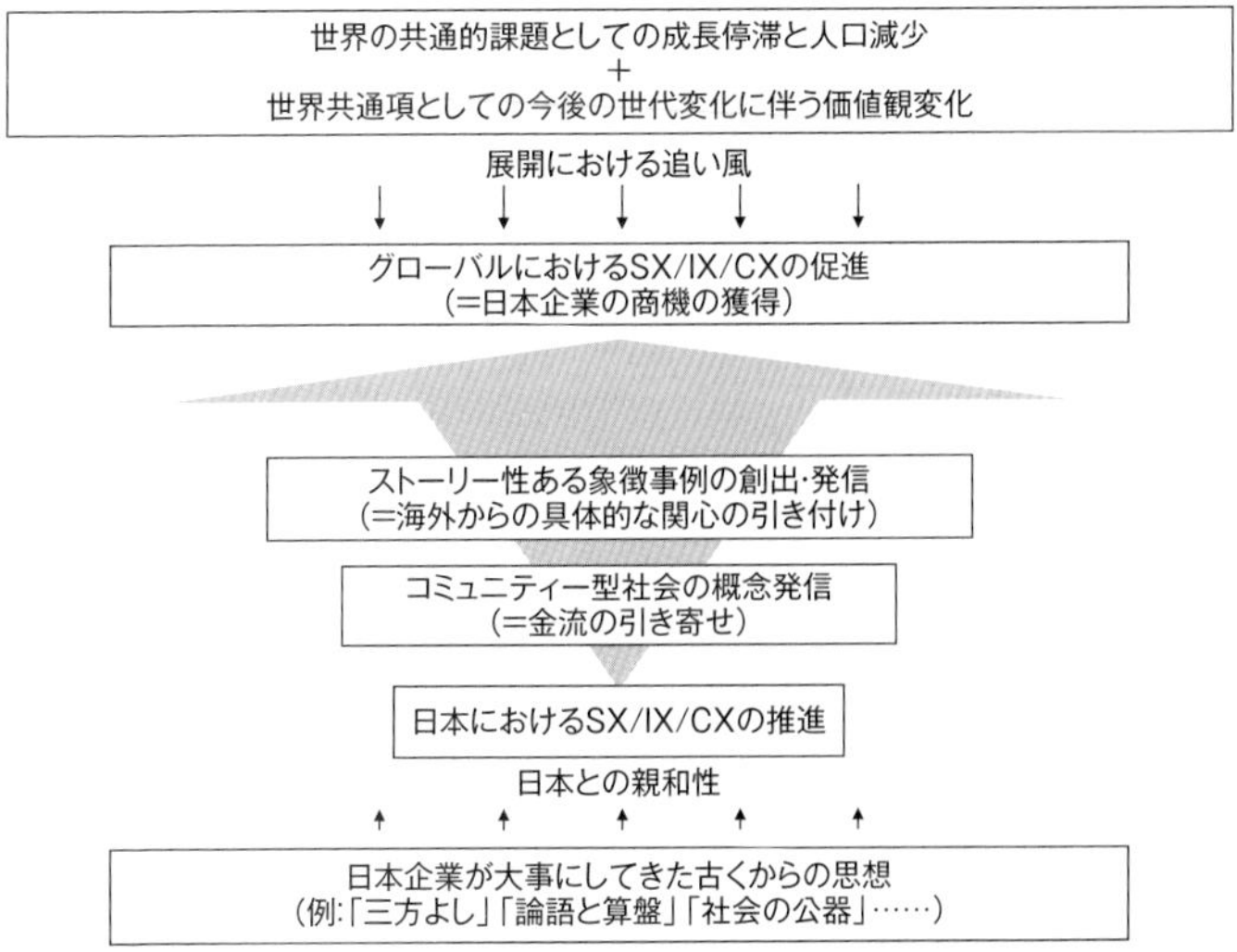

出典：ADL

るだろう。このような取り組みを国を挙げて推進していくことで、次世代コミュニティー形成という変革の日本型モデルを、世界に向けて強力に発信していくべきである。

また、海外における次世代コミュニティーの形成を具体的に支援し、結果的に商機として獲得していくプレーヤーとしては、やはりグローバル企業の出番となるだろう。これまで見てきたように、次世代コミュニティー形成は必ずしもスケーラブルなビジネスではない。共通的なモデルのお仕着せではなく、地域ごとに合わせたカスタマイズが必要であり、また納めて終わりではなく、タウンマネジメントサービスなどを通じて現地におけるコミュニティー価値の向上に長く寄り添っていくことが必要となる。こうした点は効率的な事業展開を重視する海外企業にとってはハードルが高く、逆に日本企業にとっては得意な分野とも言えるだろう。振り返れば、日本企業が進めてきた海外での工業団地形成では、近隣地域のインフラ構築・運用の支援や教育支援などまで担ってきたケースも多い。つまり、現地の地域社会に寄り添って、共存共栄の形でコミュニティー価値を高めてきたと言える。こうした強みを、日本企業は従来から持っていたということでもある。

◆もともと日本に根付いていた三位一体の概念

最後に、社会・産業・企業の三位一体型変革（SX／IX／CX）と日本の親和性について言及しておきたい。既にお感じになられている読者もいるかもしれないが、実はこうした三位一体型変革は、古くから日本企業が体現してきた考え方とも言える。例えば、「近江商人の三方良し」は、各企業が社会・産業全体としての調和的な発展を支えていくという思想であった。幕末から明治・大正・昭和までを生き抜いた起業家であり、日本資本主義の父とも呼ばれる渋沢栄一が説いた「論語と算盤」は、資本主義の利益主義一辺倒に陥ることなく、人間社会とのバランスを取った経済システムの重要性を問うていた。そして、今日の日本のグローバル企業は、戦前・戦後において産業報国的な社会性を使命として、その歩みを始めた企業も多い。企業は、まさに「社会の公器」だったのである。

つまり、日本は社会、産業、企業を区分けすることなく、混然一体のものとして調和的に捉え、発展させてきた歴史を持つ。近年でこそ、過度な株主資本主義の導入などにより、それらのバランスは崩れてきたかもしれないが、これまで述べてきた三位一体型変革（SX／IX／CX）は本質的に日本と親和性のある考え方であり、また今後の世界にとっての希望ともなり得る。日本自らのトランスフォーメーションを推進するだけではなく、他国にも共感の輪を広げることで、グローバルにトランスフォーメーションを支援していくというくらいの心構えを持ってしかるべきではないだろうか。

社会・産業・企業の三位一体型変革（SX／IX／CX）は、過去からの日本社会・経済の根底にあった思想にも近く、また、今後他国も直面する困難な状況を打破するための試金石ともなる。この変革を向こう10～20年の単位でしっかりと取り組んでいくことで、日本における社会課題の解決とグローバルな産業競争力の維持・強化を両立していけば、ポストコロナ、ポストグローバル資本主義時代の新しいパラダイムの世界の中で、日本の姿を確固たるものにできるだろう。これこそが日本が向かうべき、「令和トランスフォーメーション」の方向性なのである。

エピローグ

あとがきにかえて

２０１８年末に前著『フラグメント化する世界』（日経ＢＰ）を出版して以来、お陰様で多くの経営者の方々からお声掛けをいただく機会が一段と増えた。我が意を得たり、と共感をいただける方々がいた一方で、ポストグローバル資本主義の未来像としてのコミュニティー型社会というのが今ひとつピンとこない、といった率直なフィードバックも頂いた。

一方で２０１９年頃からは、日本経済新聞をはじめ様々なメディアでグローバル資本主義の終《しゅう》焉《えん》と、ポストグローバル資本主義に向けた論説が多く見られるようになっていた。さらに２０２０年に入って、グローバル資本主義の権化ともいえた「ダボス会議」が、ついにグローバル資本主義の再定義を取り上げるに至った。このような流れが加速する中で、世界は確実にフラグメント化（細分化）の方向に向かいつつあるとの確信を持ち始めていた矢先に起こったのが、今回のコロナショックだった。

その発生から1年以上経過し、ワクチン接種が進みつつある現時点でも、いまだその疫学的な収束は完全には見えないが、社会・経済的には、ポストコロナ時代における一定の方向感が見えつつある。その方向を一言で言えば、『フラグメント化する世界』の中で我々が提唱したような「グリーン」と「デジタル」の2つのテクロノジーイノベーションを起爆剤にした自律分散型の社会構造、すなわち新たなコミュニティー型社会への転換。このための社会・産業・企業の三位一体での構造転換を進めていくということである。本著では、この大転換を「令和トランスフォーメーション」と名付け、一見散発的に見える個別の現象論を紡ぎ合わせて、一本の骨太な社会変革のストーリーとして描いた。

グローバル資本主義と共に自らのビジネスを拡大してきたコンサルティング業界においても、グローバル資本主義の勃興期にあった30年以上前には『平成維新』（講談社）を描いた大前研一氏のように、個別企業向けの経営コンサルティングにとどまらず、社会全体の次世代の変革ビジョンを世に問うような発信力を持つコンサルタントが存在していた。平成の30年間で、日本においても経営コンサルティングという業態がようやく市民権を得て、東京大学や京都大学の学生の就職先人気ランキングでもコンサルティング会社が上位を占めるようにもなった。しかし一方で皮肉なことに、成長産業となったコンサルティング会社は自らの短期的利益に拘泥するあまり、かつてのような社会・産業全体に対してその変革の方向性を示すといった「ソートリーダシップ」の役割を残念ながら放棄しつつある。グローバル資本主義が終焉を迎え、これまで以上にこのソートリーダシップへの潜在的期待が高まっているにもかかわらず、である。本書に「令和トランスフォーメーション」などと一見大げさなタイトルを付けさせていただいたのは、こういったコンサルティング業界の現状に対する我々なりの課題提起ということでもある。

弊社アーサー・ディ・リトル（ADL）は、そうしたコンサルティング業界の中において決して大手ではないが、過去から一貫して、個別の民間企業向けの経営変革や新事業創出の支援に加え、外部発信や官公庁への産業政策立案の支援・推進を通じて、マクロな社会・産業政策とミクロな個社の経営をつなぎ合わせて、より大きな社会変革を生み出すためのサポートに注力してきた。グローバル資本主義が終焉を迎える中で、台頭する中国型の国家資本主義や欧州型の政治主導での産業振興策とも対峙しながら、日本発で新たなイノベーション創出をてことしたコミュニティー型社会への大転換をサポートする。マクロ・ミクロの両面から社会・産業・企業を連動させつつ支援していくことが、コンサルティング会社にとっても欠かせない動きになるだろう。

グローバルに見ても、米マサチューセッツ工科大学（ＭＩＴ）に源流を持つ弊社は、技術革新をてことしたこのような事業・産業・社会のイノベーションの支援を１００年以上にわたり継続してきた。そうしたグローバルな組織の中で私（鈴木）自身が、昨年からグローバルな自動車・製造業チーム全体を統括する立場に就任した。手前味噌ながら、グローバルなコンサルティングファームの中で日本支社長を日本人が務めることは多くなったが、主要な産業別のグローバルプラクティスのリーダーを日本人が務めることは同業他社含めてほとんど例がない。これは、ひとえに我々が中心的にご支援をさせていただいている自動車産業などの製造業を中心とした日本の大手技術系企業がグローバルにいまだに高い競争力を持ち続けているからこそ。グローバルヘッドとして社内の連携を推進していく中で、その思いを一段と強くしている。グローバル組織の中でも、日本のチームが高いプレゼンスを持ちつつ、日本発で新しい経営アプローチやあるべき社会・産業ビジョンをグローバルに発信していくこと、そしてその結果として日本企業の存在感や競争力をグローバルにさらに高めていくことこそが我々の使命であると痛感している。

現在、日本のグローバルな技術系企業、特に大手モノづくり企業の多くが、デジタルシフトに加えて、昨今の各国政府が掲げるグリーンシフトにより、大きな変化点に立ちつつある。一見すると、既存事業を守る立場から見れば大きなリスクともみえるが、これまでテクノロジーを起点としたイノベーションで世界に冠たる地位を築いてきた日本の技術系企業にとっては、国内外からの投資を呼び込み、一段のイノベーションを進めるチャンスでもあるのだ。ＱＣＤ（品質・コスト・納期）も含めた技術としての成立性が、事業競争力強化の大きな要件となる技術系企業・産業を一貫して支援してきた弊社としても、本著がこの大変革期に、もう一段の技術の不確実性リスクをきちんと取って社会・顧客本位のイノベーションを本気で起こそうとしている企業や組織と共に、新しい社会・産業を創り出していく契機となれば幸いである。

最後となるが、著者を代表して、前作に引き続き本書の企画の段階から親身になって協力・助言をいただいた酒井綱一郎氏、日経ＢＰの渡辺博則氏、平山舞氏、図表の作成や文章のレビューなどサポートいただいたＡＤＬのメンバー、そして最近週末を過ごす軽井沢の別邸でも本書の執筆を進めてきた執筆期間中、わがまま盛りの子供たちの世話を含めて筆者たちを支えてくれた妻や家族たちに心から感謝し、本書の結びとしたい。

著者紹介

鈴木裕人（アーサー・ディ・リトル・ジャパン株式会社　パートナー）

東京大学大学院工学研究科を修了後、アーサー・ディ・リトル・ジャパンに参画。アーサー・ディ・リトルにおいて自動車・製造業プラクティスの日本及びグローバル全体のプラクティスリーダーとして、自動車、産業財、エレクトロニクス、化学・素材、エネルギーなどの製造業企業における事業戦略、技術戦略策定、経営・業務改革支援を担当。近年は、自動車業界にとどまらず、モビリティー領域に関する事業構想支援、アライアンス支援、技術変化に備えたトランスフォーメーションなどを多く手がける。著書に『モビリティー進化論―自動運転と交通サービス、変えるのは誰か―』（日経BP）、『フラグメント化する世界―GAFAの先へ―』（日経BP）、『モビリティーサプライヤー進化論―CASE時代を勝ち抜くのは誰か―』（日経BP）。

三ツ谷翔太（アーサー・ディ・リトル・ジャパン株式会社　パートナー）

京都大学大学院工学研究科を修了後、アーサー・ディ・リトル・ジャパンに参画。テクノロジー＆イノベーション・マネジメント・プラクティスのコアメンバーとして、製造業やインフラ企業に対するイノベーション戦略の策定や、官公庁に対する政策立案などを担当。特に近年は、カーボンニュートラルやモビリティー、エネルギーなどをキーワードとした新たな社会システムの創出を目指したプロジェクトに注力する他、地域を起点としたイノベーションエコシステムの創出も数多く支援。また、国立研究開発法人 理化学研究所 未来戦略室において、イノベーションデザイナーとして、未来社会の構想とシナリオの描出に向けた活動にも参画。著書に『フラグメント化する世界―GAFAの先へ―』（日経BP）。

アーサー・ディ・リトル・ジャパン株式会社

1886年、マサチューセッツ工科大学のアーサー・D・リトル博士により、世界最初の経営コンサルティングファームとして設立された「アーサー・ディ・リトル（ADL）」。弊社アーサー・ディ・リトル・ジャパンは、その日本法人として、1978年の設立以来、一貫して“企業における経営と技術のありかた”を考え続けてきました。経済が右肩上がりの計画性を失い、他に倣う経営判断がもはや安全策ですらない今、市場はあらためて各企業に“自社ならではの経営のありかた”を問うているように思えます。自社“らしさ”に基づく、全体の変革を見据えた視点。戦略・プロセス・組織風土、或いは、事業・技術・知財を跨ぐ本質的革新の追求。ADLは、“イノベーションの実現”を軸に蓄積した知見を基に、高度化・複雑化が進む経営課題に正面から対峙していきます。

令和トランスフォーメーション
—コミュニティー型社会への転換が始まる—

2021年5月24日　第1版第1刷発行

著　　者　鈴木 裕人　三ツ谷 翔太
発 行 者　伊藤 暢人
発　　行　日経BP
発　　売　日経BPマーケティング
　　　　　〒105-8308 東京都港区虎ノ門4-3-12
装　　幀　日経BPコンサルティング
印刷・製本　大應

本書籍に関するお問い合わせ、ご連絡は下記にて承ります。
https://nkbp.jp/booksQA

Printed in Japan
ISBN 978-4-296-10926-5